「プラス思考の習慣」で道は開ける

阿奈靖雄

PHP文庫

○本表紙図柄＝ロゼッタ・ストーン（大英博物館蔵）
○本表紙デザイン＋紋章＝上田晃郷

プロローグ

わかっているのに、なぜできぬ

理屈ではわかっているのに行動が伴わないことが、けっこう多いものです。

たとえば、タバコ――。

健康によくないとかの理由で、タバコをやめようと思っている。けれども、どうしてもやめることができず、ダメな自分を苦笑――。このような人が、なんと多いことか……。

これなどは「わかっちゃいるけど、やめられない」の典型です。この一例からもわかりますように、私たちは「わかっちゃいるけどやらない」ことが多いのです。

よほど痛い目にあうか、苦境に追い込まれたりしないとダメなのです。ほんとうにコリないと、現状をなかなか改善しようとはしないのです。

ちっとも勉強しない子どもに向かって、親がハッパをかけます。「もっとシッカリ勉強しなさい！ そうでないと、いい学校に入れないよ」。

子どもの返事は、いつも決まっています。「わかってるよ！ 何度もいわれなくったって！」です。でも、いつも口先だけの返事で、行動が伴っていません。ちっとも勉強しないのです。「わかっているけど、やらない」のです。

ところが、よく考えてみますと、親のほうでも人にいえた義理ではありません。自分の日常行動も、子どもと五十歩百歩です。子どもと同じようなものなのです。「わかっちゃいるけど、やらない」ことが多いのです。例をあげているとキリがありませんが、ひとつだけ取りあげてみましょう。よくあるケースです。

たとえば、お世話になった人への御礼の挨拶。〝さっそく御礼のご挨拶にうかがわなくては〟と思っていながら、ついついあとのばしにしてしまいます。〝のちほど改めてご挨拶を……〟ということで、とりあえず電話、あるいはハガキ一枚出しておけば、ひとまず用は足りるのです。

ところが、すぐに行動しません。「あとでする」「あしたする」と、あとのばしにします。そのうち忘れてしまい、不義理をします。「わかっちゃいるけどやらない」のです。

御礼の挨拶をするとか、しないとか、ささいなことを取りあげたかに思われます。ところが、ここに重要な教訓があるのです。

このような小さな日常行動を軽視してはいけない、という教訓です。「蟻《あり》の穴から堤《つつみ》も崩《くず》れる」という諺《ことわざ》があります。バケツでも〝小さな穴だから〟とバカにしていると、いつのまにか水は全部外へ流れ出てしまいます。〝ささいなことだから〟とバカにしていると、だんだん大きくなって始末におえなくなることがよくあります。小事《しょうじ》こそが大事《だいじ》なのです。

〝いま、やっておいたほうがいい〟と思ったことは、たとえささいなことでも即座に行動に移す習慣が大事です。即座に、というところが重要なポイントです。「即座処理の習慣」によって、「積極回路」をつくってしまうのです。積極回路ができた人は、テキパキとしています。ライバルに先を越されたりしません。今日中《きょうじゅう》につくっておかなくてはいけない書類を、あとのばしにして上司に叱られたり、お客を失ったりすることもありません。

「今日《きょう》できることをあすにのばすな、いまできることをあとにのばすな」「善は急げ」――。

この教訓を日常生活に生かしたいものです。

もういちどいいましょう。「小事《しょうじ》の即座処理」によって積極回路をつくることが大事なのです。

「プラス思考」を習慣化する

いままでの記憶体験、習慣的に考え続けてきたことが、その人の「心がまえ」を形成しています。「心がまえ」というのは、その人の「考え方のクセ」でもあるわけです。

「クセ」といえば、私の知人で、手の親指をしゃぶってしまうクセの人がいます。幼い頃からのクセだそうです。おとなになったいまでも、人前《ひとまえ》でしゃぶってしまうのです。つい無意識でやってしまう悪いクセなので、本人も困っています。

年月を重ねてきた悪いクセを直すのは、ほんとうに難しいものです。

ところで、何といってもいちばん難しいのは「心がまえ」の改善です。身体《からだ》の病気を治すよりも難しいテーマだと思います。

病気の場合は、きのうまで健康だった自分の姿を知っています。正常な身体に早くもどしたいという本人の強い願望があります。治すために必死の努力をします。

けれども「心がまえ」の改善のために必死の努力をしている人は、そうザラにはいません。精神論や説教などを何度かきいたくらいでは「心がまえの改善」つまり、「プラス思考」は定着しないのです。

数日間の合宿特訓セミナーに参加して、自己改善を試《こころ》みる人もいます。しかし、期待は裏切られます。根本的に変わらないのです。しばらくすると、また元の「マイナス思考」の自分にもどってしまいます。

いずれも一過性だからです。長い年月をかけて深く刻み込まれた「マイナス思考」の悪いクセは、一朝一夕《いっちょういっせき》には直らないのです。

それでは、どうすればいいのでしょうか。「マイナス思考」の悪いクセを「プラス思考」へと陽転させる方法はないのでしょうか。

私は、その方法をずっと考え続けてきました。しかし、何年かかってもその答は見つかりませんでした。プラス思考を定着させるのは至難のわざなのです。暗く落ち込んでいるときに「明るくなれ」といわれても、急には明るくなれないのが現実でもあるわけです。

そんなある日、ようやく霧が晴れたのです。次の名言に出合ったからです。

「人間は過去の習慣の奴隷《どれい》なるかな」（国木田独歩『欺かざるの記』）――。

私たちは、過去の習慣に支配されている……というのです。だとすれば、この「習慣」を逆手《さかて》にとる方法があります。プラス思考を「習慣化」させるのです。

年月をかけて刻み込んできたマイナス思考の悪いクセを直すのには、それなりの時間がかかります。それをすぐに直ると勘違いしているから、期待は裏切られてしまうのです。「毎日の習慣」で道は開けるのです。

ここが肝心《かんじん》ですので、もう少しくだいてご説明しましょう。

まず、水がいっぱい入っているドラム缶を想像してください。ドラム缶の中は「マイナス思考」という真っ黒に濁《にご》った水です。

その濁水《だくすい》の中に「プラス思考」という清水《せいすい》を少しずつ注いでいきます。プラス思考を繰り返していくと、ドラム缶の中は、だんだんと澄《す》んだ水になります。

おわかりいただけましたでしょうか。プラス思考を習慣化するのです。習慣化してマイナス思考という濁水を少しずつ清《きよ》めていくのです。

最近、「精神神経免疫学」という医学が進んでいます。病気に対する抵抗力、つまり、免疫力というのは脳の働きと大いに関係しているという医学です。

免疫力は、脳の中心にある「間脳《かんのう》」がコントロールしているということが現代医学でハッキリしました。

「暗く思いつめる」とかのマイナス感情をもっていると間脳にマイナスのパルス（刺激）が伝わります。そうすると自律神経がアンバランスになり、免疫力も低下します。病気の引き金になるわけです。

ですから、いつもプラスの感情をもつ、つまり、プラス思考をして間脳の働きを常に活性化しておく。これが、身のためなのです。

マイナスの感情とは、次のようなことです。①心配しつづけること　②不安な気持ちをもちつづけること　③暗く思いつめること　④「病気が治らない」「ダメだ」「ムリだ」などと、希望をすててしまうこと　⑤しょっちゅう怒っていること。

このようなマイナス感情をもちつづけていると前述のとおり、免疫力が低下します。そうなると身体と心を病みます。仕事にも気が入りません。仕事がうまくいきません。

プラス思考を続けていると間脳が活性化され、免疫力が強まります。気力も充実してきます。仕事にも気が入ります。プラス思考が、すべての原点なのです。

本書は「プラス思考の習慣」のベスト選集です。テーマはひとつずつ見開きページで、まとめてあります。どこから読んでいただいてもかまいません。

筆文字のページは拡大コピーしてトイレとか、目につくところに貼ってください。早いうちに「プラス思考の習慣」を実践した人が、それだけ早く成功と幸福を得ることができます。

さあ！　即座にいまから実践です。

阿奈靖雄

困難に出会っても
決してあきらめてはいけない
目のつけどころを変えてみよう
人の知恵も借りてみよう
打つ手というのは無限だ
本気にさえなれば

かならず春はめぐってくる
今が限界ではない
決してあきらめてはいけない
本気で取り組めば
かならず道は開けてくる

阿奈靖雄 ©

本書の利用のしかた

キーワードの大切さ

クルマで走っていると、道路わきに警察官の模型が立っていることがあります。ところどころにしか設置されていないのですが、けっこう目につきます。

ところで、あの〝警察官〟は何のために立ててあるのか、あなたはごぞんじですか。

あれは、ドライバーたちの安全運転を思い起こさせるためのものだそうです。

そういわれてみると、改めてうなずけますね。

クルマで走っているとき、警察官の姿を見た。そのとき、あなたはとっさに何を考えますか。

「スピードは出しすぎていないか」「シートベルトは……」など、自分が違反していないかどうかを真っ先に考えるはずです。

スピードを出しすぎていた人は「おっと、いけない」と減速し、安全運転……という具合になるわけです。

つまり、あの模型の〝警察官〟は、安全運転の目印《めじるし》（キーワード）なのです。

キーワードで軌道修正

〝警察官〟を例にして、キーワード（目印）の効用をご説明しました。

さて、それでは本書の利用のしかたをご紹介しましょう。

まず、あなたのキーワード（目印）をつくってください。先ほどの〝警察官〟の模型のように、それを見るととっさに何かを思い出すという〝目印〟になるものです。

たとえば、あなたが女性なら、小指の爪だけマニキュアの色を変えてみてください。ほかの指と違う色なので、小指だけ目につきます。とにかく「おや!?」と目立つことがポイントです。

ここでの例でいうと、その小指のマニキュアが、あなたのキーワード（目印）ということになります。

キーワードを見るたびに、本書に書かれている「行動習慣」を思い起こしていただきたいのです。

たとえば、あなたが、本書の「キープ・スマイルの習慣」を励行することに決めたとします。いつも明るい笑顔を心がけるわけです。

キープ・スマイルの励行を決心しても、それを毎日、習慣化しないと身につきません。

ところが毎日となると、いつの間にか忘れてしまうものです。これではいままでのパターンと同じです。いつまでたっても進歩がありません。
では、どうすればいいのでしょうか。その答は「キーワード」です。ここでいうキーワードとは、前述した小指の爪のことです。小指の爪のマニキュアを見るたびに「キープ・スマイルの習慣」を励行中だった自分に戻します。〝自己管理〟するわけです。つまり「明るい笑顔、明るいモノの考え方」の自分に軌道修正するのです。

このようにして、キーワードを活用してください。男性なら、ワイシャツの袖口とか、どこか自分の目につきやすい部分に目印をつくっておくのもひとつの方法です。

筆者は「ANA」(阿奈)のネームをワイシャツの袖口に刺繍《ししゅう》して、自分のキーワードにしています。けっこう目につきます。

このようにして、本書に書かれている「行動習慣」と「キーワード」をフィードバックしていきます。そして、月日をかけて少しずつ「プラス思考の習慣」を身につけていただきたいのです。ポイントは「習慣化」です。

人は、失敗やつまずきの中で何かの指針を求めます。本書は、筆者の失敗とつまずきの中で書き綴ったものです。

自分に言い聞かせるつもりでまとめた小著ですから、指針集というほど大それたものではありません。

少しでもあなたのお役に立てばと、切に願って出版させていただいたものです。〃一期一会《いちごいちえ》〃という言葉があります。こうして拙著をお読みいただいたのも、何かのご縁です。この本を通じて、見知らぬあなたとの出会い……。

これこそ一期一会です。どんなことでもけっこうです。この本の読後感等をお寄せいただければ幸甚です。有難うございました。

「プラス思考の習慣」で道は開ける

目次

プロローグ

本書の利用のしかた

第I章「明るいモノの考え方をする」習慣

第Ⅱ章「〝道は必ず開ける〟と確信する」習慣

第Ⅲ章　「プラスの自己暗示を与える」習慣

第Ⅳ章 「人間関係をよくする」習慣

第Ⅴ章 「能率よく仕事をこなす」習慣

第Ⅰ章　「明るいモノの考え方をする」習慣

全体的にみると
「失敗した」と思える
ような事態でも
そのなかのプラス面に
目を転じることだ

50パーセントは失敗だが
あとの50パーセントは
うまくいってると
プラス思考することだ
そこから道が開けてくる

阿奈靖雄 ©

◎「楽観的な人生観をもつ」習慣

いわれてみれば、「そのとおりだ」と気づくのですが、たいていの人がふだん、気づいていないことがあります。それは何だとお思いでしょうか。

どんなにお金を積んでも、逆立ちして頑張っても、自分の力ではどうすることもできないこと、それは次の二つです。

第一は、「自分の意思ではなく、この世に生まれてきた」ということです。

第二は、「生まれてきた人間は誰でも必ずいつかは死ぬ」ということです。

いかがでしょうか。この二つは、自分の力ではどうすることもできない厳然とした真実です。私たちはいま、こうして生きているから、自分だけは死なないと思っています。あるいは、ふだん、そんなことを考えたりしないだけのことです。

もちろん、楽観的な人生観は大切です。〝生かされている生命〟を明るく全《まっと》うするのが人生だと思いますので。

それはそうと、ここで次の一節をご紹介します。一休禅師が自分の死の間際《まぎわ》に残した言葉です。

「きのうまで他人の事だと思いしに、こんだは俺《おい》らか、こいつは堪《たま》らん」――友人・知人の葬儀に参列する回数が増えてくる中高年になると、この一休禅師の言葉が彷彿《ほうふつ》としてよみがえります。

私たちは毎日、朝起きて、仕事をして、夜になると眠る……という生活を繰り返しています。このように刹那《せつな》、刹那の毎日を送っている私たちは誰でも、人生の「終着駅」に刻々と近づいているのです。

あなたは今朝、何時に起きられましたか。起きたときからいまこの瞬間まで、何時間すぎましたか。そのすぎた時間だけ、私たちは「終着駅」に刻々と近づいていることはたしかです。この否定できない人生の一大事を考えてみたとき、「自分の生き方はこれでいい」という自信があるでしょうか。

いつか死ぬ自分がその日まで、つまり、毎日をどのような「心の態度」で生きるか。それが最大のポイントだと思います。

来る日も来る日も、起きて、仕事をして、眠る……この繰り返しでもいい。ただ、どのような心の態度でそれを繰り返すかが、大問題なのです。

笑って明るく暮らしても一生。暗い顔をした嘆《なげ》きの人生も一生。どうせいちどの人生なら、明るい人生を送りたいものです。物事を暗く考えてしまうのは本当に悪いクセです。とにかく明るく明るく……。苦しいときには〝死にもの狂い〟で明るく、楽観的に……。

◎「〝日々《ひび》新《あら》たなり〟を実践する」習慣

筆者のオフィスの庭先に、何本かの樹木が植えてあります。気をつけてそうした植木を観察してみると、ハッとさせられることがあります。きのうとは違った新しさが増えているからです。

新芽が出てきたとか、蕾《つぼみ》が出てきたとか、花が咲いたとか、葉が大きくなったとか……必ず何かの新しさが加わっています。一週間も観《み》ないでいると、本当にハッと驚いてしまうほど変化しています。〝生きているものは、このように常に新しいのだ〟ということをイヤというほど見せつけられます。

私たち人間はどうなのでしょうか。私たちの身体《からだ》も日に日に新しくなっています。たとえば皮膚です。新しい皮膚が次々につくられ、きのうまでの古い皮膚は垢となって落ちていきます。

筋肉でも内臓でも同じです。古い組織は、とけて尿などと一緒に流れ出て、新しい組織ができます。私たち人間の身体も、きのうとは違う新しさが加わっているわけです。生きているものは常に新しいからです。

このことは、仕事や勉強についてもいえます。いつもきのうと同じマンネリだと、新しいことを考えた人に先を越されてしまいます。仕事や勉強の進め方にも、常に新しい血が流れていなければなりません。

商品の売り方にしても、広告の出し方にしても、作業の進め方にしても……きのうよりは今日、今日よりはあすというように、工夫をめぐらして進歩していかなければなりません。

お客さまへの挨拶のしかた、応対のしかた、電話のかけ方なども、小さいことだからとバカにしてはいけないと思います。小さなことでも、行き届いたやり方を工夫する習慣が大事です。〝こうした方がいい〟と気づいたことはさっそく改善します。この姿勢が「日々新たなり」です。新鮮な血が流れている証拠です。「善は急げ」ともいいます。

会社を定年退職して隠居《いんきょ》する人がいます。つい先日までは仕事をしていたのですが、辞《や》めて家でブラブラしているわけです。こういう生活を始めると、その人は一気に老《お》いてしまいます。なぜかといいますと、「はたらき」がなくなったからです。

前述したとおり、人間の生命は「はたらき」そのものなのです。その「はたらき」がなくなったとき、生きる力は弱まります。

心臓にしても細胞にしても、常にはたらいていて新陳代謝しています。新しいものを取り入れ、古いものを排泄《はいせつ》して常に働いているからこそ、生きているわけです。

「日々新たなり」を実践する」習慣を身につけたいものです。

◎「〝人生、何が幸いするかわからない〟と思う」習慣

「人間万事塞翁《さいおう》が馬」という有名な諺《ことわざ》があります。ごぞんじかとは思いますが、いちおう物語のあらすじをご紹介しておきましょう。

――中国での昔話。老翁（塞翁）がとても大事にして飼《か》っていた馬がある日突然、姿を消してしまった。村人たちは気の毒がって塞翁をなぐさめると、塞翁は「しかたないさ。いまにまた、いいことがあるだろうよ」と平気な顔。すると数日後、塞翁の馬が帰ってきた。駿馬《しゅんめ》を連れて帰ってきたのだ。

「駿馬を連れて帰ってくるなんて、一挙両得だ。よかった、よかった」と村人たちは喜んだ。すると、塞翁は「喜んでばかりはいられない。また何が起きるかもしれないのだから」と村人たちを制した。

数日後、塞翁の息子が、その駿馬に乗って落馬し、足の骨を折ってしまった。村人たちは「とんだ災難だったね」と塞翁を見舞った。塞翁は「しかたないさ。いまにまた、きっといいことがあるだろうよ」と平気な顔。

まもなく戦争が始まった。村の青年たちはことごとく徴兵《ちょうへい》され、ほとんどの者が戦死した。塞翁の息子は足の骨を折ったおかげで徴兵を免《まぬが》れて助かった――。

以上が「人間万事塞翁が馬」の要点です。このように、私たちの人生上の出来事は何が幸いするかわからない。一時的に悪そうにみえても、あわてることはない。その苦しみが少しばかり続いても、必ず難関は突破できる。途中で投げ出したりしなければきっと目標は達成できる、という教訓だと思います。

モチベーションの講演者としては世界一ともいわれているジョセフ・マーフィーの名言があります。「災難の中には幸せの芽が潜《ひそ》んでいる」という言葉です。聖書でも、同じようなことが説《と》かれています。「いま泣く者よ、あとで笑うことを得ん」――。

一時的な苦しみを気にしないで「これでよくなる。もう、幸せの芽が出始めている」と確信することが大切である、と説いているわけです。苦難を乗り越えてこそ本当の幸せの芽をつかむことができる、といっているのです。目標達成が近づいたときこそ最大の難儀《なんぎ》がやってくる、ともいいます。「行き詰まりは発展の前ぶれ」なのでしょう。

とはいえ、やはり私たちは迷ったり悲観したりします。これは人間である以上、避けられないことです。所詮《しょせん》、人間は不完全なのですから。

人間の小さな知恵で考えてもどうにもならない問題が、たくさんあります。だから、あとは「人間万事塞翁が馬」の心境で天命を待つ。この達観が大事だと思います。

◎「プラス面に目を転じる」習慣

ノーベル物理学賞で有名な物理学者・江崎玲於奈《れおな》氏の対談記事を読んだことがあります。

テーマは「目標達成」についてでした。その中で江崎氏は、日本人とアメリカ人との考え方の違いにふれていました。

目標の八〇%を達成すると、アメリカ人は「Very Good !」(最良!)と評価する。六〇%くらいだと「Good !」(良!)。二〇～三〇%くらいでも「OK !」、日本ふうにいうと、「まあまあ」だというわけです。

そこへいくと日本人はだいぶ違う、と江崎氏は述べています。日本人の場合は、八〇%うまくいったとしても「まあまあ」と評価する。六〇%くらいだと「反省の余地多分にあり」と採点。目標を一〇〇%達成しないと「成功」したとは評価しない——と江崎氏は指摘しています。

たしかに、日本人には「完全主義」という特性があるようです。できなかった部分に厳しい目を向けます。そのようなシビアさが、今日《こんにち》の日本経済を築いてきたともいえます。ですから、日本人の完全主義を安易に否定することはできません。そのことはよく認識しておきたいものです。

しかし、それとは逆の見方も否定できないと思います。それは「失敗」の部分に目を向けないという、プラス思考です。「うまくいった」部分に目を向けるアメリカ人的な考え方を肯定するのです。物事《ものごと》の「うまくいった部分」「いい部分」に目を向けるということは、「クヨクヨと悩まない」ということです。

何事につけ、「うまくいかなかった」とのマイナス面だけにとらわれて悩んでばかりいたのでは、いつまでたっても積極性は身につきません。

とはいっても、マイナス面に目をつぶれということではありません。失敗は失敗で冷静に対応する必要があります。

しかし、そのことにいつまでもとらわれていてはマズイと思います。心理的に「百害あって一利なし」だからです。

全体的に見ると「失敗した」という事態でも、その中のプラス面に目を転じる習慣が大切です。「五〇％は失敗したけど、あとの五〇％はうまくいっている」とプラス思考します。

「無意味な積極よりは、意味のある消極の方がなんぼう積極であるか分からない」――これは志賀直哉の有名な言葉です。

物事のプラス面に目を転じることによって、積極的な新しい第一歩を踏み出すことができるのです。

◯「むやみに腹を立てない」習慣

「あまり怒りよると、とうとう腹も立てられないような、不幸な身体《からだ》になってしまうぞ」（吉田松陰）――。

私たちは、この吉田松陰の言葉の意味をじっくりとかみしめてみる必要があると思います。

そういえば、筆者の知人にも「不幸な身体」になってしまった人がいます。カッカと腹を立てて怒鳴っている最中に倒れてしまったのです。死因は脳溢血でした……。

すぐにカッカと興奮してしまう人、つまり〝怒りん坊〟の人は、たいてい高血圧で悩んでいます。あるいは、何らかの病気を抱えていて苦しんでいます。

「怒り」というものは、そんなに毒なのでしょうか。結論からいうと、「むやみな怒りは寿命を縮める」といい切れると思います。

ある実験をご紹介します。ハーバード大学のゲーツ教授の実験結果です。有名な実験なので、皆さんもごぞんじかと思いますが、念のため、実験内容を記しておきます。

まず、一人の患者にゴム管をくわえさせます。ゴム管は冷やしてあるので、呼吸《いき》の中のガス体は液体となります。

その液体は、ゴム管に直結している薬液の中へ流れ込むように仕組んであります。

患者の心が静かで気持ちのよいときには、薬液には何の変化もおこりません。眠っているときも同じです。

ところが、患者が急に怒りだしたとき、薬液の中に褐色の沈澱物ができました。この褐色のおりをとってネズミに注射してみたところ、ネズミは狂ったように暴れだしやがて死にました。

ゲーツ教授は、次のような報告もしています。愛するわが子が死んで、とても悲しんでいる母親の実験結果です。この母親にもゴム管をくわえてもらったところ、この母親の場合も、薬液の中に灰色の沈澱物が出たそうです。

ゲーツ教授は、こうしたいろいろな実験の末、次の結論を発表しました。

「怒り」「悲しみ」「不安」「恐怖」「心配」「増悪」「うらみ」などの精神状態のとき、人体にはある物質が発生する。その物質にはかなり強力な毒性がある、という結論です。

毒蛇の場合には、その毒を溜《た》めておく袋があります。そして、その袋から出た毒はうまく体外へでるような仕組みになっています。つまり、自分には害がないわけです。

人間は、そのような仕組みになっていません。自分で出した毒は、自分の体内を回るよりしょうがないのです。だから、毒をつくってはならないのです。その毒が身体中に回って病気をつくりだすからです。

◎「悪いときにジタバタと煩労《はんろう》しない」習慣

人間の身体《からだ》の中でいちばん激しく血液が循環している部分は、脳細胞だといわれています。この脳細胞の血液が清浄で、いつも新鮮な養分を運んでいれば、いくら働かせても私たちの脳はちっとも疲れないそうです。

ところが「心配」「不安」「恐れ」「疑い」など取り越し苦労から生じた毒素が血液に入ると、脳の働きは途端に鈍るそうです。心労で生じた〝毒液〟を脳細胞に供給するのですから、脳の働きがおかしくなるのは当然だと思います。

ですから、私たちはできるだけ、ちっぽけな煩労《はんろう》にとらわれない努力をする必要があります。

人を使うなら、その人を信頼したいものです。「自分が目を光らせていないと、従業員は何をしでかすかわかったものではない」などと、取り越し苦労をしたくないものです。

また、「心配」「不安」「恐れ」「疑い」などの取り越し苦労を繰り返していると、現実にそのことを招き寄せるという〝心の法則〟があります。

「病気のことを思い煩《わずら》えば病気を引き寄せてしまう」というのも心の法則です。つまり〝因果の法則〟です。

だから、昔から「病人と親しい人が看病してはいけない」といわれています。家族とか親類など、病人に近しい人が看病するのはかえって病人のためにならない、というのです。近しい人だと、どうしても病人の前で心配そうな顔や悲しそうな表情をしてしまいます。そうすると、病人は「自分の病気はかなり重症なのだ」と敏感に察知します。そして、必要以上の「心配」「不安」「恐れ」などの取り越し苦労をしてしまいます。病気のことを思い煩えば、病状は悪化する一方です。

「悪いときにジタバタしたら、さらに悪いときを引き寄せる」という尾崎一雄の名言があります。筆者も、胃腸の具合が悪くてかなり苦しんだ時期がありました。とにかく、何を食べてもしばらくすると胃が痛みだします。やがて、何も食べられなくなりました。病院を転々とし、薬もいろいろ飲みましたが、薬を飲むと吐き出してしまうのです。本当に辛《つら》い毎日でした。

そんな筆者でしたが、すっかり丈夫になりました。健康になった理由の一つは、「足心《そくしん》道《どう》」という健康術をとり入れたからです（次ページ参照）。

もう一つは「心のもち方」を変えたことです。昔から「病《やまい》は氣から」といわれていますが、この「氣」は生命エネルギーです。この生命エネルギーが低下してくると私たちは病氣になります。生命エネルギーを高めるには「自分の病氣は必ず治る」と固く信じること。この強烈な意識は自然治癒力と大いに関係がありそうです。

◯「〝足心道《そくしんどう》〟で身体《からだ》を健康にする」習慣

『足の汚れが万病の原因だった』という本が昭和六十一年八月に出版（文化創作出版）されました。この本は、発売して半年くらいの間に二五万部も売れたベストセラーです。現在も依然としてロングセラーを続けています。

筆者は官有謀《かんゆうぼう》という方です。官先生は台湾生まれの「足心道秘術《そくしんどうひじつ》」の研究指導家です。筆者は官先生の講演を五回ほど聞いたことがあります。もちろん、先生の著書は何度も読み返しています。「足心道」について詳しく研究したかったからです。

そうしているうちに、足心道のすばらしさを実感しました。自然の理法にかなった健康術であることを確信したのです。

いまでは、どんなに忙しい日でも足心道を必ず実践しています。それ以来、いままでの思わしくなかった体調がウソのようです。自分でも驚くほど健康になったのです。

そんなにすばらしい健康術を、あなたにもご紹介したいと思います。官先生の著書や講演で伺ったことをもとに要点を記してみます。

足心道の重要なポイントは、足をもんで血液の循環をよくしてやるということです。

私たちの身体《からだ》は何兆という細胞からできています。この細胞に酸素や栄養を届けるのが血液です。血管を大きく分けると、次の三つになります。一つ目は動脈。新鮮な酸素と栄養を運びます。その酸素や栄養を細胞にわたして炭酸ガスや老廃物などの汚れを受け取る作業をするのが毛細血管。三つ目は静脈。体内でできた炭酸ガスや老廃物を腎臓や肝臓などに運ぶ役割をはたします。血管には以上の三つの流れがあります。

酸素や栄養がたっぷりの血液は、心臓から押し出されて動脈にのって身体の隅々《すみずみ》に運ばれます。そして、毛細血管によって細胞の一つひとつに酸素や栄養を補給します。

細胞に酸素や栄養をわたした血液は、今度は細胞からさまざまな汚れを受け取ります。そして、心臓へ向かう毛細血管にのります。さらに静脈に入って運ばれ、腎臓で汚れを濾《ろ》過《か》して心臓に戻ります。この繰り返しが、私たちの生命を維持しているわけです。

この流れが滞《とどこお》ると、障害を引きおこします。心臓からいちばん遠くにあり、引力で下にひっぱられている足裏は特に血液が滞りやすいわけです。また、毛細血管が縦横無尽《じゅうおうむじん》に走っているので、汚れがつまりやすい場所なのです。第二の心臓である足の裏が活発に働かなければ、障害が起きるのは当たり前です。だから、足心道は足の裏を徹底的にもむのです。

「足心道」の詳細については、官有謀先生の著書をご一読ください。

◎「取り越し苦労しないで行動する」習慣

筆者はよく居酒屋に行きます。そこではいつも、サラリーマン風《ふう》の人たちが楽しそうに酒をくみ交わしています。

彼らの会話が自然に筆者の耳にも入ってきます。彼らの話題はだいたい決まっています。仕事関係の話が中心です。一杯やりながら仕事の話をしているわけですが、けっこう楽しそうです。でも、酒量が重なってくるとたいてい、上司や同僚の悪口に及んできます。やがて、グチっぽくなります。

「夢をもてというけど、オレたちは会社の仕事が毎日忙しい。夢を追ってる余裕なんかないよ」といった発言をしている人が少なくありません。

それと、もう一つ多いのは、自分の将来と、いまの仕事の話題です。酔いが回ったせいか、若い人はホンネをはいています。「ほんとのことをいうと、いまの仕事は面白くない」と不満をぶつけます。「いまの仕事は自分に合っていない」ともグチっていっています。

組織の中のはざまに生きているサラリーマンには、このタイプが多いのが現実です。

いまの仕事や生活が面白くないのは、その人に「人生の目標」がないからです。

そんなときは、なんでもいいから、とにかくいまの仕事に全力で打ち込んでみることです。いまうまくいっていなくても、面白くなくても、いまを一所懸命に生きることが大切なのです。そのようにして着実に努力を続けていると、自分の方向がわかってきます。そして、その方向に歩いていると、きっと誰かがすばらしい助言をしてくれます。力を貸してくれる人も必ずあらわれます。

そういう協力者がなかなかあらわれてこない、という人がいます。その人は仕事に没入しない中途半端な人です。夢も希望も目標もなく、「休まず、遅れず、働かず」主義者がこのタイプです。このような姿勢では、未来に目が向くはずはありません。

「どんな目標であれ、目標をめざして努力する過程にしか人間の幸福は存在しない」と、三島由紀夫がいっています。そのとおりだと思います。

たとえば――青森の実家から電話が入りました。のっぴきならない用件で青森へ急行しなければなりません。クルマで行くことになりました。取るものもとりあえず、夜九時に東京を出発。ガソリンがなくなったらどうする？　途中、深夜営業のスタンドで補給すればいい。食事は？　トイレは？……などと取り越し苦労しなくても、ちゃんと目的地に着くものです。

人生もこれと同じだと思います。目標が決まったら、取り越し苦労しないでスタートすることです。一所懸命に打ち込んでいると、助けてくれる人が必ずあらわれてくるから不思議です。

◎「人よりも〝半歩〟だけ余分に努力する」習慣

凡《およ》そ成功の岐《わか》る所は僅《わず》かに一歩の差である。

一歩先んじて進む者は成功し、後《おく》るる者は不遇を嘆《かこ》つ。

故《ゆえ》に人は常に機を見るに敏《びん》なることを要する——。

これは大阪の政商・五代友厚の言葉です。士魂商才の核心として商人たちに伝えられてきている教訓です。

「一歩の差」の重要性を説いているわけです。

これに関して、面白い話があります。プロ野球の話題です。バッターがうつ、そして一塁ベースへ走りこむ。そのときの判定です。アウトかセーフの差はわずか二〇センチ以内だというのです。もういちどいいましょう。アウトとセーフとの差は、わずか二〇センチ以内なのです。「一歩の差」もないのです。あとチョットなのです。

「成功と不成功の差はほんのわずかだ。しかし、そのわずかな違いに重要な意味がある」——という格言があります。

たとえば、高校や大学の入試の合格か不合格かの差は、わずか一点です。そのわずかな違いが、その人の運命や人生の流れを大きく変えることもあるわけです。

何事も、わずかな差に重要な意味があるのです。

以上のことを整理してみると、次のことが明らかになってきました。「あとわずかでいいから、いままでよりも力を出せ」という教訓です。

そうすれば、局面がガラリと変わってくるというわけです。

いままでよりも一〇％だけ余分に力を出せば、収入が数倍に増えることだってあり得ます。もういちど、プロ野球の例で説明します。二割五分の打率の選手と三割五分打っている選手の年俸を比べてみてください。金額はなんと、数倍もの差です。たいへん大きな差です。

ところが、実際の野球内容はそれほどの開きではありません。つまり、三割五分の選手の方が一〇回のうち一回だけ余分にヒットをうっているだけの差なのです。二割五分の選手よりも一〇％だけ頑張っているだけのことです。

プロは、そのわずかな差に生命をかけています。

あなたは、それはプロ野球の世界のことだから自分には関係ない、とお考えですか。そうではないと思います。「自分は本当に全力を出し切っているか？」、その全力というのは決して、いままでの二倍も働くというのではないのです。一〇％だけ努力アップすればいいのです。人よりも半歩だけ余分に努力すればいいのです。

◯「氣を病《や》まない」習慣

九州大学医学部の池見酉次郎教授といえば心療内科の第一人者です。池見教授は著書『心でおこる体の病気』（慶応通信）の中で、次のようなことを報告されています。

「鯖《さば》を食べるといつも下痢してしまう青年がいた。その青年にバリウム（胃や腸のレントゲン撮影のとき患者にのませる造影剤）をのませた。そして〝いま君がのんだバリウムには鯖のエキスが入っていた〟と告げる。すると、たちどころに彼はトイレにかけこんだ。実際には鯖のエキスなど入っていないのに彼は下痢をおこしたのだ」――。

池見教授の話では、下痢の原因は一種の恐怖心だそうです。心が身体《からだ》を支配しているわけです。このような例は珍しくはない、とのことです。

たとえば、心労《しんろう》が続くと胃の粘膜に出血がおこったり、ただれたりするそうです。また、激怒《げきど》すると胃は充血することもつきとめられています。

心臓についても同じようなことがいえると、池見教授は報告されています。

他の所見では異常はないはずなのに心電図だけに異常があらわれる患者がいた。何回とりなおしても異常。そこで、ためしに患者が眠っている間に心電図をとってみた。そうしたら正常だった。

この結果を本人に知らせたうえ、とり直してみたら正常のデータがあらわれた――。

この人は〝心電図をとられる〟というのでかなりの不安を感じていたからだ、と池見教授は判断しています。先ほどの鯖のエキスの話と同じです。

これらの例からもわかるように、「心の作用」が私たちの内臓を支配しているといえます。

不安、悩み、心配、緊張、恐怖……こんなものが生じると、私たちの自律神経の働きは狂ってくるといわれています。そうなると、内臓器官も故障してしまうわけです。やはり「病《やまい》は氣から」という昔からの諺《ことわざ》は当たっているのです。

ある統計によると、内科を訪れる患者のうちの一人に一人が精神科の病気だと報告されています。氣から生じた病です。

その患者の八〇%が「家庭内のイザコザ」が原因だというのです。家庭のイザコザの中で「親子のトラブル」が三〇%。「夫婦の不和」が二五%。「嫁と姑のイザコザ」が五%。ただし、農家を対象とした調査では「嫁と姑のイザコザ」は二八%という高率を占めていたそうです。

「命よりも大切なものはふだんの健康」といいますが、健康な身体でいるためには「ふだんからの明るい心がけ」が大切です。「氣を病まない」習慣を定着させたいものです。

◯「大自然と接する」習慣

近代文明は、大自然を破壊しながら、ひた走りに走っています。高度成長と引き換えに、大自然のバランスを少しずつ崩していっているわけです。大気汚染をはじめとする公害都市へとエスカレートしているのです。そこでいま、あわてて「大自然を破壊するな」「自然に還れ」と叫んでいます。

フランスの文学者、啓蒙思想家として有名なJ・J・ルソーは「自然をとり戻すにはどうすべきか」をあらゆる角度から追求した人です。そして、あの名言「自然に還《かえ》れ」を残したのです。ルソーが没したのは一七七八年ですから、いまから二百年以上も前から〝自然の危機〟を訴えていたわけです。ルソーは「大自然にまさる〝教育者〟はない」という教訓を残しています。私たちはいま〝自然界の摂理《せつり》〟を謙虚に受け止める必要があります。

たとえば、「人間の教育」も自然界の摂理に学ぶべきだと思います。植物を育てるやり方、つまり「農業法」で教育するのです。

なぜかといいますと、人間の成熟は樹木の生長と同じだからです。成熟するまでには、それなりの時間がかかります。土壌（環境）や肥料の良し悪し、手入れのしかたも成熟に影響を与えます。人間は、自然界から誕生した生き物です。

「人間の教育」を近代文明の「工業法」でやろうとしても、効果はあがらないはずです。鋳型《いがた》にはめた〝速成大量生産〟式の教育ではムリなのです。やはり人間の教育は自然農法の丹念さがないと、芽は出ないものです。

私たち人間は、大自然という〝故郷〟の中に生きています。太陽、山川、草木、大地の下で生活するのが普通です。

ところが、私たち現代人は自然と接する機会がだんだん遠のいています。特に、都会地で生活している人たちはその傾向が強いのです。もっと自然の下に還る必要があります。

太陽がさんさんと光る大自然の下に生きていることを自覚するために、山を歩くのもいい。田舎を旅するのもいい。たまには、ひとり孤独になって夜空を仰いで月や星を眺めるのもいい。とにかく自然と接することです。週に一回とか、月に一回とかいうふうに〝自然と接する〟機会を意識的につくって習慣化するといいと思います。

そうすると、だんだんと心が宇宙大に広がってのびのびしてきます。コセコセとした日頃の些事《さじ》がふっとびます。孤独になって自然の中で考えると、別な視野が開けてくるものです。迷いや悩みがあるとき、壁にぶち当たったとき、効果満点です。自然の中にとけこんだとき、人間がいちばん人間らしくなります。大自然との接触は、人間の「原点」ではないでしょうか。

◎「物事《ものごと》を、良いほうに解釈する」習慣

西田君は、建設会社に勤務している二十五歳のフレッシュマンです。彼は毎朝、出社すると守衛さんから受付嬢に至るまで、誰にでも声をかけます。「おはようございます！」と先手《せんて》を打って明るく挨拶するのです。

同僚たちは、「自分の仕事に関係のない人にまで挨拶する必要はないんじゃないの」といっているそうです。西田君も、初めはそう思っていました。ところが「話し方教室」に通って勉強するようになってから、「挨拶」の重要性を教えられたのです。

どこの家庭でも、出かけるときは「行ってきます」「いってらっしゃい」、帰ってきたときは「ただいま」「お帰りなさい」と挨拶を交わします。その一言が、家庭を明るくします。

職場についても、同じことがいえると思います。挨拶が欠けている職場は、どこかギクシャクしています。職場の人たちの気持ちもバラバラです。

上役や同僚が出かけるとき、明るい声で「いってらっしゃい！」と声がかかれば「よし、頑張ってくるぞ！」という気分になります。「お帰りなさい。お疲れさまでした！」と明るく迎えられれば、外回りの疲れも吹き飛ぶものです。

このようにお互いに挨拶を交わしていれば、職場は自然に溌剌《はつらつ》としてくるものです。

「一にニッコリ、二におじぎ、三に言葉をかけましょう」――これは本庄市（埼玉県）の埼玉グランドホテルの合い言葉です。同ホテルでは年に一回、「にこにこキャンペーン」を実施しています。接客マナーの向上が目的です。期間は一ヵ月。期間中、全社員は「にこにこワッペン」を自分の名札の下に付けます。そして、いつも笑顔を絶やさない感じのいい社員をお客さまに選んでいただくのです。「相手によって差別があってはダメ」というルールにもなっています。ですから、同ホテル出入りの取引業者にも投票してもらいます。入賞者は社長から表彰され、賞品や賞金が贈られます。

話が前後しますが、このキャンペーンが実施される数日前に「どうしたらニコニコができるか」について全社員によるグループ・ディスカッションが行なわれています。そして、その話し合いで次のような要点がまとまりました。

①ニコニコができる人は健康、②家庭生活が円満、③笑顔は人間関係の基本、④物事《ものごと》を良いほうに解釈する習慣、⑤自分の笑顔を鏡に映して研究する――。

明るい挨拶は明るい家庭（職場）の基本。笑顔は人間関係の基本。この基本を肝に銘じておきたいものです。と同時に「物事を良い方に解釈する」習慣を定着させたいものです。

◯「陽転思考をする」習慣

野に咲く花をよく見ると、陽の当たる方を向いて咲いています。また、花を室内に入れておくと、光がさしこむ方へと向きを変えて咲いています。

感情のない植物でさえ、明るい方が好きなのです。まして感情のある人間なら、誰だって「陰」よりは「陽」の方を好むのは当たり前です。

陰気で暗い人は好まれません。明るくて快活な人の周《まわ》りに人が集まってきます。笑って明るく暮らしても一生。暗い顔をした嘆《なげ》きの人生も一生。どうせいちどの人生なら、誰だって毎日を明るく楽しく過ごしたいものです。

それなのに、どうして私たちは「暗く」なってしまうのでしょうか。どんなに陰気な人だって、みんな赤ん坊のときはニコニコして陽気だったのです。まったく無邪気《むじゃき》だったのです。

しかし、私たちにはいつの間にか「邪気《じゃき》」が入り込んでしまったようです。暗いモノの考え方をしてしまうという悪いクセを、いつの間にか身につけてしまったわけです。

昔から「なくて七癖、あって四八癖」といわれています。〝人には必ずクセがある〟という意味です。

こういう実験があります。あなたも、ちょっとやってみてください。胸の前で腕組みをしていただきたいのです。右手が上になっていますか、それとも、左手の方が上にきていますか。どちらでもかまいません。さて、今度は、いま組んだのとは逆に組み直してみてください。右手が上になっている人は左手の方を上にして組んでください。

そうです。とてもぎこちなくて、まるで他人の手を組んでいる気分です。どうもシックリしません。それでは、最初に戻してください。つまり、ふだんの組み方です。これならシックリします。このシックリする組み方が、あなたの「仕草《しぐさ》のクセ」です。

腕組みのクセを例にしました。この例からもわかるように、私たちには「仕草のクセ」があります。この仕草のクセと同じように、「考え方のクセ」もあります。そのことをここで強調しておきたいのです。

何か事にぶつかったとき、すぐに「暗いモノの考え方」にスイッチが入ってしまうクセの人がいます。それとは逆に、前向きで「明るいモノの考え方」をする人もいます。

いずれにしても苦しいとき、悲しいときに、急に明るくなれるものではありません。でも、一時的に悪そうに見えても、あわてない方がいいと思います。「いま泣く者よ、あとで笑うことを得ん」という達観が必要だと思います。「災難の中には幸せの芽が潜《ひそ》んでいる」という陽転思考が大切です。

◯「病的観念を描かない」習慣

「自然の山野に生活している限り、鳥獣たちはめったに病気にかからない」といわれています。ところが、人間に飼《か》われると、鳥獣たちはひ弱になってしまいます。

たとえば、自然界に生きていた、そうした動物たちを捕まえてきて動物園の檻《おり》の中で飼います。冷暖房に気をつけたり好きなエサを与えたりして、いろいろと面倒をみて飼育します。

それなのに、動物たちはよく病気にかかります。獣医が飛んできて薬を注射したりして手当てしますが、動物たちはあっけなく死んでしまいます。自然の山野に生きていれば、こんなにひ弱なはずはなかったのです。動物たちは自然界に還《かえ》りたいのです——。

私たち人間も、自然界の生き物です。やはり、自然に還る必要があると思います。かといって、鳥獣のように山野を飛び回ったりして生きようというのではありません。現代社会の生活条件の中で「自然に還ろう」というのです……。

それにはまず、私たちの「心」を自然に還すことが重要だと思います。

この世のすべてのモノは「自分の心に描いたもの」が形にあらわれています。つまり、自分の心で認めたものだけが存在するわけです。このことを逆にいうと、「自分の心で認めないもの」は存在しないのだといえます。

たとえば「肩こり」という症状を知らない少年がいたとします。A君は肩こりの経験がないので、自分の心に肩こりを描くことができません。「肩こり」という言葉を知っているだけです。認めようにも、認めようがないのです。だから「A君の世界」には肩こりが存在しないのです。

ここがカンジンなところです。もう少しつっこんで説明します。

胃の具合が悪い人がいたとします。これは、その人の胃という物質そのものが悪いにはちがいありません。でも胃を働かせている「心」（ストレス）に支配されて、そうなったこともたしかです。

たとえば、「心」が悲観の状態になると、誰でも食欲はなくなります。恐怖の状態に立たされると、胃の粘膜から出血します。身体は「心」で支配されているという点については、本書で繰り返し述べています。「病《やまい》は氣から」は定説になっています。

「自分は生まれつき身体《からだ》が弱い」などを口癖にしている人がいます。その言葉のとおり、その人の心には「病弱な自分」が描かれています。だから、その心の支配によって「身体が弱くなる」わけです。私たちは、こうした病的観念を描かない「自然な心」に還る必要があります。基本的には、病氣になったときには信頼のおける医師に身をゆだねることが第一だと思います。本項では、そのことを前提として「病は氣から」のことにふれました。

◎「優柔不断《ゆうじゅうふだん》を捨てる」習慣

「身を捨ててこそ、浮かぶ瀬もある」は、古来の諺《ことわざ》です。足をいつまでも河の底につけていたのでは、永久に泳ぐことはできない。思い切って足を離してこそ上達の道が開けてくるのだ、という教訓です。

優柔不断の人は、この教訓を肝に銘じておく必要があると思います。優柔不断の人は失敗を恐れていて、いつまでも足を離そうとしません。つまり、なかなか〝決断〟ができないのです。

ゲーテの言葉に「世界中で最も不幸なのは優柔不断の人間である」という一節があります。ゲーテは「失敗を恐れるな」といい切っています。

「何か行動を起こして失敗することよりも、自分の〝不決断の習慣〟の方こそ恐れよ」と説いています。ああでもない、こうでもないと迷っているということは、どれも捨てようとしていないということです。だから、決断ができないのです。

決断するということは、どれか他のものを捨てるということだと思います。「捨ててこそ浮かぶ瀬」があるからです。「二兎を追うものは一兎をも得ず」といいかえてもいいでしょう。

決断の速い人は、いったん事を決したら、とりあえずそれが最善の条件として行動に移します。それがうまく行こうが行くまいが、とにかく成り行きに任せます。「うまく行くことだけを確信」して、ただひたすらに前進して行きます。

このように、果断の人は一事にいつまでもしがみついていません。次の瞬間には、その事から〝足を離して〟いるので、次の仕事に悠々と心を転じています。

私たちの一生の時間は限られています。その中で多くの事を成しとげて行くには、何かヒケツがあるはずです。そのヒケツが「果断」だと思います。ああでもない、こうでもないなどと、無意味に右往左往しないことです。

どれかを捨てて、早いとこ決断に踏み切る習慣。この習慣がポイントだと思います。

優柔不断は、周囲の人々にその不快な雰囲気を感染させてしまいます。このような人を上役にもったりすると、職場の空気は腐ってしまいます。家庭でも同じことがいえます。

私たちは「もし失敗したら」というような不たしかな言葉を使わないようにしたいものです。自分がよく考えて決定した以上は「うまく行くだろうか?」などといった卑屈な考えは捨てなければなりません。

そして、自分の背後にある逃げ道は断たれていると思うことが大切だと思います。逃げ道をつくっておいて、失敗したらそこへ逃げ込もうなどとの考えは間違いです。逃げ道をつくっておくということは、すでに「失敗」を予想しているからです。

◯「親孝行」の習慣

筆者の友人から一冊の小冊子が送られてきました。表題は「心の中のふるさと――天草島」となっています。七ページにわたって一編の作文が収録されています。

この作文は、何年か前のNHK全国作文コンクールの最優秀作に選ばれたものです。作者は荒木忠夫さんという男性です。

荒木さんの作品は、NHKテレビ朝の番組「明るい農村」で紹介されました。それを見て、たくさんの人が感銘。その中の一人に鍵山秀三郎さんという人がいました。

鍵山さんは「イエローハット」というカー用品のチェーン店を全国展開しておられる(株)ローヤルの相談役です。鍵山さんは、荒木さんの作文の朗読の模様をテレビで見て感動、涙がとまらなかったそうです。

こんなすばらしい実話を自分だけで感動しているのはもったいない、ということで荒木さんの作文を小冊子にまとめたのです。鍵山さんはこの小冊子を自費で制作。かなりの数量かと想像されます。それを全国の人々に一人でも多くと、無償で配付されております。

その一冊が筆者の手許にも届いた、という次第です……。

筆者も、この作文を読んで感銘を受けました。じっくり読むと、涙がとまりません。

「親孝行」の大切さをしみじみと感じさせられる実話です。紙面の都合で、筆者が原作を少しアレンジしましたが、作文のあらすじは次のとおりです。鍵山さんの好意に敬服しつつ、作文をご紹介させていただきます。

＊

——先日、会社で歯の定期検診があった。その折、医者は私の歯をほめてくれた。「三十八歳の年齢で虫歯が一本もないのだから、たいしたものだ」というのである。

医者は私に「生まれはどこですか？」と聞く。「九州、熊本県の天草島で生まれそだった」と答えた。医者は「やっぱり島そだちの方ですか」とうなずいていた。

その夜、床についた私は、歯が丈夫にならざるを得なかった少年時代の頃のことを想いだしていた。

当時、天草島はどこの家も貧しかった。米のごはんを食べるのは盆と正月と村祭りのときだけ。いつもはサツマイモか麦。もちろんお菓子やアメなんか、ほとんど食べたことはない。鰯《いわし》だけは豊富だった。畑の肥料にするほどだった。私たちは、おなかがすくといつも鰯をまるごと食べて空腹を満たしていた。そんな食生活なので島の人はみんな歯が丈夫だったのだと思う。

私の家は零細の農家で八人兄弟。姉も兄も中学卒業と同時に島から出て行った。口減《くちべ》らしのためだ。私が中学校へ行くころになっても私の家は依然として貧しかった……。

……（中略）……

私が中学一年生のとき春の遠足があった。たぶん私は、この遠足の思い出だけは一生わすれることはないだろう。

遠足の楽しみは何といっても弁当だった。どこのウチでも遠足の弁当だけはふんぱつしていた。私のウチでも米のごはんのおにぎりとタマゴ焼きをいつも母が持たせてくれた。その弁当を友達とワイワイさわぎながら食べるのが最高に楽しかった。

遠足の前夜はワクワクして、よく眠れない。こんどもそうだった。

待ちに待った遠足の朝、母が悲しそうな顔をして私に弁当を手渡す。弁当の中身はサツマイモだけだと告げる。蚊のなくほどかすかな声で「かんべんして」といっていたようだ。母は目に涙をふくませながら私の手を強くにぎって離さない。母の手はブルブルとふるえている。

私は大声で母をののしり、母の手をおもいっきり振りはらった。その反動で母はよろけた。でも私は母にかまわず泣きながら走った。しばらく走ったところで後ろをふり返ってみた。母は地面に泣き伏していた。

遠足の弁当の時間、私は天神山の山頂の藪《やぶ》の中にいた。クラスのみんなが私をさがしている。その声を遠くに聞き、私は藪にひそんでいた。空腹には勝てず私は泣きながらイモをかじった。自分の涙でイモがびしょぬれになっているのがなさけなかった。

家に帰ってからも私は母をののしり責めた。母がどれほどつらい思いをしているかなど中学一年生の私には理解できなかったのだ……。

……（中略）……

私が中学三年生になり、高校進学を間近にひかえた頃、担任の先生の勧めもあり、私は島の高校ではなく、熊本市内のK高校を目ざしていた。そのため必死になって勉強もしてきた。

十二月のある日、父と母は私をいろり端に坐らせ「熊本の高校はあきらめてくれ」と告げた。「おまえを熊本に下宿させる費用がない。島の高校ならなんとかなる。島の高校でがまんしてくれ」と両親は私に頼みこむ。

私は父と母を大声で罵倒《ばとう》した。それ以来、私は家族の誰とも口をきかなくなった。あんなに熱を入れていた勉強もほっぽりだした。重くるしい毎日が続いた。そして年が明けて元旦となった。

島を離れ、社会人として働いている姉と兄が帰省してきた。毎年、家族全員で行なっている初もうでにも私は参加しなかった。元旦の朝からふとんをかぶって寝ていた……。

目をさますと、まくらもとに年賀状が置いてある。一〇枚たらずのようだったが、大した感情もなく私は一枚ずつめくっていた。どれもこれもクラスの友人からのもので「ことしもガンバロウ」という内容だった。

いちばん下にあった年賀ハガキを見て私はドキンとした。鉛筆を、なめなめ書いたらしい。字が、ところどころ濃くなっている。差出人の名はなかった。でも私には、それが誰であるかはすぐにわかった。同じ家に住む母からのものだった。ハガキにはこう書いてあった。

「おまえに〝明けましておめでとう〟というのはつらい。でも母さんは、おまえが元旦の日に家族の前で笑いながら〝おめでとう〟といってくれている夢を何度も見たよ。おまえがまだ小さい頃、おまえが泣き出すと、母さんは子守唄を歌っておまえを泣きやました。でもいまはもうおまえに歌ってやれる子守唄がない。どうしたらいいのかわからない。母さんはほんとうに困ってるよ。こんどはおまえのほうから母さんに〝親守唄〟を歌ってほしいよ」――。

ハガキを読み終えた十四歳の私は、元旦の寝床の中で大声をあげて泣いた。中学三年生の反抗期の私に向けて母が歌ってくれた〝心の子守唄〟だったのだ。

このとき、はじめて私は親の気持ちがわかった。私は、とび起きてふとんをキチンとたたんだ。申しわけない。ほんとうに申しわけないという気持ちでいっぱいになった。

初もうでから帰ってきた両親を私は正座で迎えた。「どうか島の高校へ進学させてください」と、両手をついて頼んだ。こうして私は島の高校へ入学した。

島の高校へ入ってからは、がんばってがんばりぬいた。おかげで、奨学金で大学へ行ける資格を得た。このとき、父は命の次に大事にしていた山の種松《たねまつ》を売った。私の入学金をつくるためだった……。

……(中略)……

あれから二十年ほどの歳月が流れた。私は結婚をして子どももできた。両親は島で元気にくらしているようだがしばらく会っていない。

ある晩、中学三年生になる我が家の長男がつむじを曲げた。ささいなことが原因だ。長男は「お父さんもお母さんもボクのことわかってくれないんだ！」と大声で私たちをののしり、自分の部屋へこもってわんわん泣きだした。

私は自分の少年時代を想いだした。こうして何回となく親にくってかかったものだ。そういえば、あんなにめんどうをかけた親にろくに親孝行をしていない。「子をもって親の恩を知る」という諺《ことわざ》があるが、いまの私はその心境である。

そんな折、NHKテレビで作文募集のニュースを見た。そうだ、両親のことを書こう。もし入選したら放映される。全国ネットだから天草島にいる両親にも見てもらえる。そんな思いで作文コンクールに応募した——。

＊

荒木さんの作文の要旨は以上ですが、後日談があります。ご両親は荒木さんの作文の朗読をNHKテレビで見ていたのです。ご両親は大声をあげて泣いていたそうです。お父さんが泣いたのはこのときがはじめてだそうです……。

苦しかった、悲しかった昔を想いだすと、感動の涙がとめどもなく流れてしまうのでしょう。「忠夫や、ありがとうよ」――荒木さんのご両親の声があなたにもきこえてきませんか……。

荒木さんは、すばらしい親孝行をしたと思います。品物のプレゼントではなく、こういうプレゼントもあるのですね。

父母死して後は
孝をつくす事なりがたきを
かねてよく考え
後悔なからん事を
思ふべし（貝原益軒『私俗童子訓』）

「孝行しようと気がついたとき、親はこの世を去っているものだ。親が生きているうちに親孝行しておけ。そうでないと必ず後悔するから」という貝原益軒の教訓です。

第Ⅱ章　「〝道は必ず開ける〟と確信する」習慣

「いまやるべきだ」と
思ったことは
即座に取りかかる
習慣が大切だ

「あとでやる」「あしたやる」と
先おくりしていると
いつまでたっても
ウダツがあがらない

阿奈靖雄 ©

◯「"いま"というこのときを大事にする」習慣

「時は金《かね》なり」という諺《ことわざ》があります。有名な教訓です。一般的には、「時間というものはお金と同じように貴《とうと》いものだ」と解釈されています。

しかし「時は金」でしょうか。時間というものは金銭と同じでしょうか。そんなに安っぽいものでしょうか。筆者は、そうでないと思います。

お金や土地や建物などは、一時的に失ったとしても、また取り戻すことができます。けれども、どんなに大金を積んでも、逆立ちしても、絶対に取り戻せないものがあります。それは「時間」です。現に「いま」この瞬間、時は刻々とすぎ去っています。この過ぎ去っていく時間はお金で買うことはできません。

もういちどいいましょう。時間というものは金銭とは比べものになりません。段違いに貴重なものなのです。

筆者の知人にガンの患者がいます。先日、彼に会いました。やせ細った彼がこんなことをいいました。身につまされる一言です。

「阿奈さん。いま私がいちばん欲しいものが何だかわかりますか？　それは時間ですよ。私に残された時間はあとわずかです。やり残したことがいっぱいあるんですよ……」と、うらめしそうな目で語りました。彼の心の奥底から出た〝叫び〟といっていいでしょう。時間の大切さを思い知らされました。

次にご紹介するのは古人の名言です。享保元年に書かれた『葉隠』（山本常朝）に出てくる一節です。

「只今が其時《そのとき》。其時が只今也」――〝其時〟とは、「重大な時」という意味です。「いま」というこの瞬間を大事にしろ、という教訓です。

「いま」という時間を活用しなければ、時は速やかにすぎ去っていくのです。だから「いま」が、やるときなのです。躊躇《ちゅうちょ》したりグズグズしてはいけないのです。優柔不断は、貴重な時間を捨てているようなものです。いまよりももっといい時機があとでやってくると思っているから、いつまでたっても行動しないわけです。

〝チャンスの神様〟をごぞんじでしょうか。この神様は前頭部（ひたいの上の部分）だけに髪の毛がはえています。後頭部はツルツルです。

私たちはいつも、チャンスの神様の後頭部だけを見ているのかもしれません。次のチャンスを待ってばかりいて、いつまでたっても行動しません。チャンスの神様が目の前を通っているのに、神様の前髪をつかもうとしないのです。そのときこそがチャンスなのに……。

◯「小さな"成功体験"を重ねていく」習慣

「如何《いか》に快活な男でも度々《たびたび》の失敗に会えば気六ケ《きむずか》しくもなる。陰気にもなる」――。

これは、志賀直哉の『網走まで』に出てくる一節です。どんなに快活な人でも、失敗が度重《たびかさ》なると自信をなくしてしまうものだ、といっているわけです。

まさにそのとおりです。失敗が続くと私たちはなぜ、自信をなくすのでしょうか。まず、そのことを考えてみましょう。

大脳生理学的には一つの答が出ています。大脳生理学の権威である林髞《たかし》博士の報告をご紹介します。

「"自信"をなくす原因は、"過去の失敗体験"である」と、林博士は明言されています。「これまでのさまざまな失敗体験を記録した集積回路が、その人の大脳の中にいっぱいつまっているからだ」と述べています。「この悪い集積回路をそのままにしておく限り、"自信"はなかなかとり戻すことができない」と博士。

なぜかというと、過去と同じような状況におかれた場合、この集積回路が条件反射的に働きだしてしまうからです。いうまでもなく、この集積回路とは、これまでの失敗体験の回路のことです。つまり"失敗へ導く回路"なのです。

もう少しわかりやすくご説明します。たとえば、ある集会の席でスピーチを頼まれた人がいたとします。その人は大勢の人の前で話をするのははじめてです。おかげで、すっかりアガってしまい大失敗です。大勢の人の前でとんだ赤恥をかいてしまったのです。

こうした失敗体験は、その人の大脳の集積回路にバッチリと組み込まれます。そうすると、次はどうなるのでしょうか。スピーチを頼まれた瞬間、過去の失敗体験の回路が働きます。つまり、スピーチに失敗して赤恥をかいた自分へと導かれてしまうのです。そうなると今度もまた、スピーチに失敗します。こういうことが重なると、すっかり自信を喪失します。

このような失敗感をなおしていく一つの方法として「オーバーロードの原則」というのがあります。このトレーニング方法は西洋の神話をベースにしています。要約してご紹介します。

「男は毎日、子牛をもちあげて自分の身体《からだ》を鍛えていた。子牛は成長し、少しずつ体重が増える。それでも男は毎日、子牛をもちあげている。そうしているうちに、男はいつのまにか成牛をもちあげてしまうほどの力持ちになっていた」……。

小さな〝成功体験〟を重ねていって、〝失敗〟の回路を断ち切る。これが「オーバーロードの原則」です。

◎「"道は必ず開ける"と確信する」習慣

戦後の財界人の中で最も波瀾万丈《はらんばんじょう》の人生を歩んだ人をあげるとすれば、まずリコーの市村清氏でしょう。市村氏は、リコー、三愛、日本リースなど数多くの事業を隆盛させた名経営者として知られています。経営の勉強のためにと開設された「市村学校」に、数百人の経営者たちがこの門をくぐったことも有名です。

リコーグループは、どんどん頭角をあらわし、順風満帆かにみえました。しかしその後、市村氏はリコーの経営に失敗します。六十歳をすぎて大きなつまずきに直面したわけです。世間の指弾の矢面に立たされた市村氏の苦悩は、世間の想像をはるかにこえていたはずです。

「自殺する方が楽だったのではなかったか」と、当時を回顧する人もいます。

人間は、苦しくなるとどうしても悲観的な見方の方に傾いていきます。「行き詰まった」「もう逃げ道はない」と落ち込んでしまうものです。

市村氏がいよいよ土壇場に追いつめられたとき、ふと最後に「裸一貫から起こした身。ここまでやれたのだから、まだやれる。まだ全力は出しきっていない」と達観。そう考えると、急に目の前が明るくなって、「道は一つどころか、二つも三つもあるはずだ」と奮起したのです。豊田佐吉（トヨタ自動車の母体である豊田自動織機製作所の創始者）の言葉――「自分がやったことは、まだ自分がやれることの百分の一にすぎない」を、市村氏は心に刻んでいたのでしょう。

市村氏は、こうした「プラス思考」で立ち直ったのです。氏が亡くなるとき、リコーの株は株式市場の花形になっていたといわれるほどに成長していたのです。

キリストは「苦しいときほど笑え」と説いています。苦境に立ったときこそプラス思考が大事だ、といっているのです。

でも、わざわざ不必要な苦労をすることはないと思います。いずれにしても、この人生というものは初めから「幸福」が天からふってきて、ずっとそれが続くものではありません。失敗したり苦しんだりしながら、幸福をつかんでいくのだと思います。

病気をしてみると、健康のありがたさをつくづくと痛感するものです。人生における「幸福」もそれと同じだと思います。でも、同じ失敗を何度も繰り返すのは考えものです。反省がないからです。反省のないところには進歩はありません。それともう一つ、進歩発展のために重要なものがあります。それは、失敗にめげない「プラス思考」だと思います。

市村清氏のような「道は必ず開ける」という明るいモノの考え方、信念をもって失敗を乗り越えていきたいものです。

◎「〝失敗の原因は我にあり〟と思う」習慣

「成功は次の成功を引き寄せる」という言葉があります。この言葉の意味は「何か一つのことに成功すると、成功体験が自信となって、次の成功を引き寄せる」ということです。目標を達成するためには一歩一歩、着実に前進することが大切です。いきなり大きなことをやろうとすると、たいてい失敗します。

そんなに大きなことでなくてもいいから、まず目の前の目標を達成し、成功体験の自信をつけてから先へ進む方がいいと思います。

目の前の目標を達成すると、心は次の目標に向かいます。仮に、次の目標が少し困難なことでも、成功の確率は高いはずです。

どうしてかといいますと、「この前、頑張ったら成功した。あれだけのことができたのだから今度もきっと成功するさ」と、前向きに考えるからです。前回の成功体験が、次の目標達成のエネルギーになっているわけです。

それとは逆に、初めから大きな目標に挑戦して失敗ばかりしている人がいます。これでは、成功体験を味わうどころか、失敗体験ばかり味わってしまうことになります。

前記した言葉の逆になります。「失敗は次の失敗を引き寄せる」の法則のとおりになってしまうわけです。そのようなことがないよう、まず自分の手の届く目標からチャレンジしていくのがいいと思います。

ところで、ここで話題が逆転しますが、「失敗は成功の母」という教訓があります。「失敗の意義」について考えてみましょう。

いままで「成功」について述べてきましたが「成功」というのは物事《ものごと》の結果のことです。本当は、成功するまでの過程には小さな「失敗」がいろいろあったはずです。

さて、本題です。失敗の生かし方です。うまくいかなかったとき、他人のせいばかりにしていると、その失敗の経験は生きてきません。「この失敗は自分のやり方が間違っていたからだ」と考えれば、いろいろな反省ができます。同じ失敗を繰り返さないわけです。

このように「失敗の原因は我にあり」と受け止めると、失敗の原因をなくすため一所懸命に努力します。だから、今度やるときにはうまくいきます。文字どおり「失敗は成功の母」という結果になるわけです。

このことについて、松下幸之助氏は「経営のやり方に当を得れば必ず成功する。成功するためのポイントは、何といっても、〝失敗の原因は我にあり〟の姿勢に徹することである。そして自らの経営をきびしく吟味しつつ、なすべきをなしていくことである」と明言されています。

◎「マンネリに流されない」習慣

「世の中に退屈ほど我慢の出来にくいものはない。何か活気を刺激する事件がないと生きて居るのがつらいものだ」――退屈が苦痛でたまらないという心境の言葉です。これは、夏目漱石の代表作『吾輩は猫である』に出てくる一節です。

私たちの頭脳は、一つのことを続けていると慣れてきます。その分、能率もアップしてきます。しかし、その反面、考え方や行動がワンパターン化する傾向が強くなります。

これは、どうしても避けられません。つまり、いままでやってきた行為が惰性《だせい》をつくってしまうわけです。いわゆるマンネリに陥るわけです。だんだん飽きてきます。夏目漱石の言葉を借りれば「退屈でたまらない」という心境が沁み込んできます。こうなると、「新しいやり方でやるぞ」という意欲が出てきにくいものなのです。能率は確実に落ち込んできます。

このようなマンネリ、惰性に流されないための策はないものでしょうか。次の方法はいかがでしょう。

まず、何か新しい仕事を始めようとするとき、環境を変えてみるのです。何でもいいから、気分が一新できるような態勢にします。

たとえば、雰囲気がガラリと変わるくらいに自分の机の上を整理します。と同時に、前の仕事に関したモノも、目につかない所に片づけてしまいます。

このようなささいなことでもいいから、スタートの環境づくりを大切にします。「心的惰性」から脱して、新しい目標への意欲をかきたてるのには「始動」が大事です。

消極的な人ほど、このような切り換えがヘタだと思います。どうしても、心的惰性の中に埋没してしまいがちなのです。そうならないためにはスタートが大事なのです。スタートといえば、もう一つ、効果的な方法があります。

その日、真っ先に手をつける作業のことです。この作業は、自分の得意とするものがいいと思います。得意な作業ですから当然、調子よく片づきます。

その「調子」が、次の仕事への原動力となります。要するに「調子」がでる作業なら何でもいいわけです。ここで小さな成功体験をしておいて調子よくスタートしよう、というのがネライなのです。

それともう一つ、コツがあります。いま順調に進んでいる仕事を全部、今日中に片づけてしまわないのです。あすのために少し残しておきます。「今日できることをあすに延ばせ」を意識的にやるのです。調子が出ている仕事の一部を、次の日の朝のためにわざと残しておくわけです。当然のことながら、次の日のスタートは順調です。

◯「ピンチをチャンスに変える」習慣

過日、筆者は大相撲を観戦しました。知人に招待されたのです。席は土俵の間近の、いわゆる〝砂かぶり〟の特等席でした。ですから、力士たちの表情は手にとるようによく観察できます。

しばらく観戦しているうちに、筆者は一つの発見をしました。力士たちの表情のことです。相手力士と対戦する前までの力士たちの表情が勝敗に関係している、という発見です。

土俵にあがってくる力士の表情を見ながら、筆者は同席の知人に予言します。「この勝負は東方の力士が勝つと思いますよ」と耳うちすると、結果はそのとおりなのです。その予言がほとんど的中したので、知人はとても驚いていました。

もちろん、まぐれ当たりです。しかし、ヤル気とか自信などの心の状態が、その人の目つきや顔の表情にあらわれていることはたしかです。動作にもあらわれていると思います。

横綱が調子のよいときは、片っ端から相手をなぎ倒します。こういうときは、自信とかヤル気の感情が身体中を支配しています。表情にもあらわれています。

ところが初日、前頭あたりの力士に負けたりしたらどうでしょうか。横綱といえども、かなり心が動揺します。ヘタすると〝弱きの感情〟に支配されてしまいます。こうなると大変です。二日目も、三日目もコロコロと負けることがあります。

このようなことは、何も相撲に限ったことではありません。すべての勝負ごとについていえるはずです。心の態勢の挽回がキーポイントになるわけです。

ビジネスの世界でも同じことがいえると思います。思うように業績があがらず不調な状態におかれると、誰でも焦ります。自分はカリカリしているのに、ライバルは好調です。そうなるとますますカッカと悪あがきして、悪循環に陥ってしまいます。

私たちが仕事を進めていくうえで、あるいは家庭生活においても、難局にぶつかることがよくあります。そうした場面に直面したとき、落ち込んでしまう人もいます。その反対に、それを〝チャンス〟として捉えて「禍《わざわい》を転じて福となす」に導いてしまう人もいます。

いま仮に、商売が不振のラーメン屋さんがあったとします。この店に必要なのは、心の態勢の挽回だと思います。これまでの味はどうだったのか、接客態度は、店造りは……などと考え直す〝チャンス〟です。素直な心で対処していけば、必ず道は開けるはずです。

人間の歴史を振り返ってみても、戦争とか天災とかの難局に出遭うたびに新しい知恵が生まれ、進歩発展に結びついているのです。

「ピンチをチャンスに変える」習慣が大切です。

◎「〝前向き人間〟とつきあう」習慣

「人は前を見ているようだけど、実は後ろを見ている」といったのはマクルーハン。私たちは物事《ものごと》を前向きに考えているようだけど、どうしても消極的な方に陥ってしまうという意味だと思います。

前向きな考え方と消極的な考え方とでは、脳の働きがぜんぜん違います。明るいモノの考え方をすれば、気分的にも楽しい。血行もよくなり、身体《からだ》の具合も快調。集中力も増すのでグッドアイデアが出やすいわけです。

それとは逆に、暗い考え方をすると、まず不安が大きくなります。「ああでもない。こうでもない。こうしてもダメ。ああしてもうまくいかない……」と取り越し苦労の心配ばかりするので、思考が混乱します。

こうなると、何をやってもうまくいきません。やること、なすことが悪循環です。こういう人はたいてい身体も不調です。いつも胃の具合が悪かったり、頭痛もちだったりします。

会社の人事で地方転勤を命じられたとします。「まいったなあ。こんな田舎に飛ばされてしまった。まったくツイてないよ」と暗く受け止める人は「マイナス思考型」人間。こういう人は、将来もずっとウダツがあがらないタイプだといえます。

「不自由を常と思えば不足なし。心に望み起きれば困窮したるときを思いだすべし」

——。

これは、徳川家康の有名な遺訓です。現在、会社でそれなりの地位についている人でも、これまでの道のりは決して順風満帆ではなかったはずです。

転勤に次ぐ転勤に振り回され、ときには左遷や降格もあったことでしょう。そのような試練にもへこたれずいまの地位を築いてきた人は、例外なく「プラス思考型」人間です。人生が苦しいか楽しいかは、状況によって決まるのではない。自分の心ひとつが決めるのだ、ということを知っているのでしょう。

だから、同じ転勤の条件でも、プラス思考の人は違う受け止め方をします。

「地方も悪くはないさ。ここで業績をあげれば目立つ。頭角をあらわすにはもってこいさ。東京などと比べれば空気もいいし、新鮮な野菜や魚も食べられる。地方転勤けっこう……」と前向きに受け止めます。

クヨクヨしていては、新しい道は開けません。演技でもいいから楽天的にふるまって、明るい考え方を身につけたいものです。

そのためにも、できるだけ前向き人間とつきあう習慣にしましょう。「類は友を呼ぶ」という諺《ことわざ》があるからです。

◯「初めから"ダメ"と決めつけてしまわない」習慣

「寝る前にコーヒーなんか飲んじゃったので、興奮しちゃって昨夜はよく眠れなかった」と、眠そうな目をこすりながら起きてくる人がいます。

これはまず、その人が「コーヒー（カフェイン）を飲むと興奮する」と思い込んでいるのが第一の原因だと思います。そして「だから眠れない」と決めつけているから、そのとおりの結果になるのだと思います。

実は、その逆の人もいるのです。決めつけてしまわなければ、本当は眠れるはずです。寝る前にコーヒーを「飲まないと寝つけない」という人です。「飲むとダメ」と決めつけている人からみれば、信じられないことです。いずれの人も、「気分」に左右されていることは明らかです。「自己暗示」のなせるわざだと思います。

特に、神経質な人ほど、何事も、このように決めつけてしまいがちです。たとえば「人前で話をするとアガってしまう」と思い込んでいる人がたくさんいます。

こういう人は、たしかにいままでにも人前で「アガった」経験があります。だから今度もまたアガってしまうに違いない、と決めつけます。

何事も、アガってしまうと、自分本来の半分くらいの力しか出すことができません。そこで、どうしたらアガリをなくすことができるかを考えてみましょう。

まず第一に「アガるのは自分だけではない」ということを認識しておくことです。自分だけがアガっていると思い込むと、人前に立つ恐怖心が起こってきます。ここのところが重要です。もういちどいいましょう。「アガっているのは自分だけではない」のです。他の人はいかにも落ち着いてしゃべっているようですが、実は誰でもみんなアガっているのです。こちらではわからないだけのことです。話術の神様といわれた徳川夢声さんでさえも、スピーチの前はいつもアガっていたそうです。

ドイツの心理学者ヴントは、人間の本能について次のように分析しています。本能は二つに大別できるというのです。一つは「種族保存の本能」。もう一つは「個体保存の本能」です。個体保存の本能の中には集団に対する本能がある、と述べています。つまり、人間が大勢の人の前にでると恐怖の本能が働くのです。自分を守る防禦《ぼうぎょ》本能なのでしょう。これは人間の「本能」ですから、誰にでもあるわけです。

だから、人前にでるとアガるのは当然なのです。コーヒーを飲むと眠れるとか眠れないとかの話題と「アガリ」についての例でご紹介してきましたが、何事も初めから「ダメ」と決めつけてしまってはいけない、ということです。

◯「〝失敗を成功の母〟にする」習慣

「これまでの人生の中で、自分はまだいちども失敗したことはない」という人はこの世にいないでしょう。私たちが何かをやろうとするとき、失敗はつきものです。覚悟しておかなくてはなりません。

ところが消極的な人は、何か失敗をしでかすと〝失敗した〟という気持ちだけが強く残り、ますます消極的になってしまいます。そのような失敗体験をそのままにしておかないことが大切です。失敗体験をうち破るためには、次の教訓が役に立ちます。

野球の神様といわれた川上哲治氏の教訓です。ごぞんじのとおり、川上氏は往年の名選手です。その後も巨人軍の名監督として活躍した人です。

「野球が強いか弱いかの差は、そのチームの〝勝つことへの執着心〟の差だ」と、川上氏はキッパリといいきっています。

「どんなに強いチームにも必ず波があって、ときには負けがこむ。しかし〝勝つ〟という執着心を常にもっているチームの真価はそこでハッキリとあらわれる」と、明言しています。

「〝勝負は決まったか〟にみえるような試合でも、あきらめない。毎回、第一打者は〝何がなんでも出塁する〟という気迫でいる。相手投手にうちとられるにしても、一球でも多く相手に投げさせるよう粘る。そして、相手チームの救援投手を引っぱり出させる。この執念が逆転を生む。また、明日への勝利につながる」と、川上氏は強調しています。

「しかし、そういうチームでも、ちょっと気をゆるめるとすぐに安易な方に流れようとする空気が生まれる。だから、選手たちが前向きな姿勢を崩さないように常に気を配る。それが監督の責任である」といっています。川上氏の教訓は、野球に限らず、私たちの日常生活に大いに参考になります。川上氏は〝失敗〟について、次のように述べています。

「自分のやるべきことを知っていて、それを怠った選手がいた場合、私は、その選手をきびしく叱る。しかし、まだ教えていないことで失敗した場合には叱らない。練習に力を入れるよう仕向けた」と川上氏。

たとえばそのようなとき、当人に「失敗はしかたがない。誰にでもあることだ。しかし、今日の試合での失敗は、もっと練習しておけば防げたはずだ」と川上氏は注意したそうです。

そのあとで必ず練習ぶりをチェックし、本人が本気で練習しているかどうかたしかめたそうです。本気になっていたら「特訓」を行なう。特訓はあくまでも本人のヤル気が前提だ、といいます。

さまざまな失敗の積み重ねの中から〝今度はうまくやるぞ〟という積極性がでてくるわけです。失敗は進歩の源泉です。「失敗は成功の母」として生かしたいものです。

◎「一所懸命になって物事《ものごと》に打ち込む」習慣

「下手《へた》は上手《じょうず》の下地《したじ》なり。下手よりだんだん上手になるなり」――。この教訓は最近のものではありません。寛文七年（一六六七年）に書かれた『子孫鑑』（寒河正親）に出てくる一文です。

こんなに古くからの教訓ですが、現代にもピタリとあてはまります。

「初めのうちは下手だけど、そのことに打ち込めば打ち込むほど上手になるものだ」と解釈していいと思います。さらに、この言葉には「興味とか関心、やりがいなどは、そのことに打ち込んでいるときに自然と湧いてくるものだ。やる前から感じるものではない」という意味も含んでいるといえます。

たとえば、ゴルフを始めて本当に面白くなるのは、九ホールを五〇切るくらいのときです。始めてから何年かたって、ゴルフがいくらかわかりかけてきたからです。

五〇を切ったりして「自分もかなり上手になったものだ！」などと思い上がっていると、次はメチャクチャに悪かったりします。なかなか上手にはなれません。とにかくゴルフは奥が深いゲームです。だから面白いのです。

これは、ゴルフに限りません。すべてのスポーツにいえることです。いや、スポーツばかりではありません。囲碁や将棋などの勝負ごとや、いろいろな習いごとについてもいえます。

勉強も同じです。打ち込んでいるうちに面白くなってくるものです。

たとえば英会話の勉強です。初めのうちはアメリカ人のしゃべっていることがさっぱりわかりません。こういうとき、会話は苦痛だし、あまり面白くありません。ところが、相手の話が少しわかりだしてくると面白くなってきます。もっとよくわかりたい、という気分になります。そうなると、一所懸命に打ち込みます。そして上達します。

仕事もこれと同じです。打ち込めば打ち込むほど、面白くなるはずです。やる前から面白さを感じるものではなく、一所懸命にやるからこそ面白さを感じるのだと思います。

ところが、私たちはいま、何か一つ欠けたような、心の中にむなしさを感じながら生きているような気がします。大学へ行く学生も、みんなが行くから自分も行く。これといった目的もなく、ただなんとなく大学へ進む。

会社に行く人も同じです。働かなくてはいけないから会社に行く。もちろん、それは当たり前のことです。でも、面白くないけどしかたなしに仕事をしている人がけっこう多いと思います。そこが問題です。

仕事でも遊びでも勉強でも、本気になってそのことに打ち込んでこそ、面白さを感じるものだと思います。

◯「〝得意ワザ〟を伸ばす」習慣

「ブレーン・ストーミング」をごぞんじかと思います。何人かが集まってアイデアを出し合う会議です。自由に発言し合うフリートーキングです。

ブレーン・ストーミングには、幾つかのルールがあります。そのうちの一つに「他人が出したアイデアをアタマごなしに否定してはいけない」という条件があります。

たとえば、誰かが発言したとき「そんなこと、できっこない」とか「そんなに費用をかけられない」などと決めつけないのがルールです。

いきなりケチをつけられてしまうと、次からはもう、発言したくなくなります。「こんなことをいうと、またケチをつけられてしまうだろう」と、引っ込み思案になってしまうからです。「失敗は成功よりも美しく又更に成功よりも教訓と力に富めり」(石川啄木『古酒新酒』)――。

これは、実生活でも何度も失敗を繰り返したといわれる石川啄木の言葉です。私たちはどうしても失敗を恐れます。だから、新しいアイデアが出ても「それはムリだ」とか「そんなことをしたら失敗するに決まっている」などと、最初から逃げ腰になりがちです。せっかく出てきたアイデアの芽を、自分自身でみんなつみ取ってしまうわけです。

こういうことを何度も繰り返していると「やっぱり自分は頭がカタイ」とか「自分はダメ人間だ」と決めつけて落ち込んでしまいます。そうなると、何事においても消極的になってしまいます。

自分の方から率先して何かをやろうとする姿勢が稀薄になってきます。いつも「誰かが発言するだろう」とか「誰かがやるだろう」という後ろ向きの考えに陥ってしまいます。

だから、何か新しいことを始めるときには、まず取り越し苦労をしないことが大切だと思います。啄木の言葉を借りれば「失敗を恐れるな。たとえ失敗したとしても、その教訓は大きな力として生かせ」ということになります。

弱気な人、いつも悲観的な考えをしてしまいがちな人が積極的になる方法があります。それは、何か一つ「得意ワザ」をもつことです。「好きこそものの上手なれ」という諺《ことわざ》がありますが、自分の好きなことを得意ワザにします。

たとえば、あなたが映画が好きだとします。映画のことなら人には負けないほど詳しい、という長所があります。この得意ワザを伸ばしていって、他人と差をつけるのです。

このようなことは、実生活には役に立たないかも知れません。しかし「人には負けない〝得意ワザ〟をもっている」という意識が積極姿勢の一歩となるはずです。

◯「自分自身を勇気づける」習慣

万事皆初めは成難《なりがた》けれども
功を積みて鍛煉《たんれん》すれば上手になる
とかく堪忍無ければいずれの道も
仕習ひ覚ゆる事なし（浅井了意『浮世物語』）――。

『浮世物語』に出てくる一節をご紹介しました。「何事も急にはうまくならない。しかし、着実に努力を重ねていけば必ず一流になれる。途中であきらめて投げ出してはダメだ。〃やり通す〃という自己規制心と忍耐がなければ、何事も成就《じょうじゅ》するわけがない」と解釈していいと思います。

寛文四年に書かれた古い教訓ですが、私たち現代人への叱咤《しった》の言葉とも受け取れます。いまの自分の姿（地位、収入、仕事の実力、知人の数、人格など）は、自分がいままでに播いてきた種の結果だといえます。種の播き方と手入れのしかたの結果があらわれるわけですから、花の咲き方は人によって千差万別です。

種の播き方の好例をご紹介します。元東海銀行最高顧問・三宅重光氏の談話を引用させていただきます。

三宅氏は子どもの頃、病弱だったそうです。そのうえ、姉妹にかこまれた一人息子ということで、たいそう甘やかされていました。その結果として、友達の輪の中にも入っていけない消極的な少年に育ってしまいました。さすがに、その自分にイヤ気がさしたのです。このままではどうしようもない人間になってしまう、と深刻に悩みました。

さんざん悩みぬいた末、「自分革命」の厳命を下したのです。自分自身を根本的に改造しようと奮起したわけです。大学一年のときでした。まず、風邪をひきやすい病弱な体質にチャレンジしました。風呂あがりに必ず水をかぶる習慣です。これは奏功しました。冬になっても、部屋にコタツや火鉢は置きません。寒くてガマンできないときは、体操をして身体《からだ》を温める。勉強に疲れると座禅を組む……。

こうした努力はムダにはなりませんでした。三宅氏は高文行政科試験に合格。高熱を出してしょっちゅう寝こんでいたのがすっかり強健になりました。徴兵検査にも甲種（第一級）合格。「過保護児童だった自分がなんとかここまでやってこれたのは、自己規制心と忍耐があったからだ」ときっぱり。そして心がくじけそうになったときはいつも次の言葉で自分を勇気づけた、と語っておられます。

「平凡人が平凡なことをしていたのでは、平凡以下のことしかなし得ないこと極めて明瞭。"努力と修養"は平凡人の全生活であらねばならぬ」――。

◎「師をマネる」習慣

芸事《げいごと》の世界で「修《しゅう》・破《は》・離《り》」というのがあります。舞踊でも芝居でも、芸事に上達するための最大のヒケツは、まず「修」だといわれています。とにかく、徹底的に師匠のマネをすることから始めるそうです。

「師匠の〝カタチ〟をそっくり修得する」——つまりこれが「修」なのです。

ゴルフや野球など、スポーツの世界でも同じことがいえます。最初は先輩プロのマネをしていますが、少しずつ自分なりの「カタチ」を創りだします。師を破るわけです。これが「破」です。

さらに修業を積んで、いよいよ自分独自の技をあみだして師を離れる。これが「離」です。

この三つのうちでいちばん重要なのは、最初の「修」だといわれています。

ご承知のとおり、「学ぶ」の語源は「マネブ」です。あらゆる学習は、まず「マネル」ことから始まるようです。ここでいう「マネル行為」とは、技術だけのことではありません。師匠の「考え方」や「生きざま」までをもマネてしまおう、というのです。

師と仰がせていただいている方が、筆者にも何人かいます。筆者の経験からもいえるのですが、師の「カタチ」を模倣していると、ふだんの言動までも師匠に似てきます。考え方までも似てきてしまうから不思議です。

もちろん、考え方とか生きざまなどは、ある程度のところまでしか会得できません。しかし、「カタチ」をまねているとほんとうに、考え方も似てきてしまうのです。

筆者の知人の息子さんで、Y君という少年がいます。彼は、小学生のときから柔道をやっています。彼は、柔道の山下泰裕選手を尊敬しています。

オリンピックの決勝戦をテレビで見て、山下選手のすばらしさを知ったのです。負傷した足の激痛をふり切ってあらん限りの力を出して柔道世界一を勝ちとった山下選手に、Y君は感動したのです。以来、Y君は山下選手に関するあらゆる記事を集めるなど、すっかり山下選手に傾倒します。山下選手を自分の師と決めました。

Y君は中学三年生のとき、柔道の県大会で優勝しました。勉強の成績もクラスでトップです。Y君のことを父親は、「ここぞというときのふんばりが強い人間になりました。これは山下選手（師匠）の影響によるものです」と、きっぱり。

私たちにも、「ここぞ」という正念場があります。こういうとき、すぐれている師はあらん限りの力を出しきってふんばります。こうして成功している師を「マネて」、正念場に強い自分を「修め」たいものです。

◎「基本を大切にする」習慣

筆者の知人でYさんという、建設会社の社長さんがいます。Yさんは専務でしたが、前社長の急逝により急遽、社長になった人です。Yさんは前社長の長男です。一流大学を卒業したYさんはなかなかの理論家です。その学者的な風貌がインテリジェンスを感じさせます。しかし、建設会社の社長としてはどこか、もの足りません。頼りないところがあるのです。

Yさんのしゃべり方、仕草など、別にどうという欠点は見当たりません。しかし、Yさんの全体から湧き出てくる空気というか雰囲気に魅力がないのです。ある種の不安さえ感じさせます。インテリジェンスが売り物のYさんですが、全体から湧きでるパワー、人間的魅力が伝わってこないのです。前社長のような強いパワーを感じさせないのです。要するに、人間としての「器《うつわ》」が小さいわけです。

前社長はかなりのワンマンで、社員はいつも前社長の前では震えあがっていました。しかしどういうわけか、社員は前社長を尊敬し信頼していました。強烈なパワーと合わせて「人徳」をもった人物だったからでしょう。

会社経営をしていくうえで組織や技術力は大切です。でも、それを生かすのはやはり

「人」です。人間力です。組織をつくり、新しい設備や技術を導入しても、それらを動かす「人」がいなければ成果は上がりません。

だから事業経営において、まず何よりも「人」を育てていかなくてはならないわけです。それでは、どのようにすれば人は育つのでしょうか。松下幸之助氏の意見をご紹介します。

松下氏は、「この企業は何のためにあるのか、そして、どのような考えで経営していくのか」という基本理念がまずいちばん大事である、と前置きしています。

基本的な考えがハッキリしていれば、それに基づいた指導が部下にできる。そうしたものがないと、部下の指導に一貫性がない。その時々で方針がくい違ったりする。あるいは、そのときの感情でモノをいったりしてしまう。

経営理念というものは、紙に書いた単なる「掛け声」ではない。それが従業員一人ひとりの血肉となって、はじめて生かされてくる。だから、ふだんからそのことを従業員に訴え、それを浸透させていくことが大切――。

以上、松下幸之助氏の教訓を紹介しました。これは、会社経営のことだけとは限りません。自分自身の「生き方」にもあてはまると思います。さて、あなたの「人生の基本理念」は？

◎「新しい事に挑戦する」習慣

人間には、「自分は安全でいたい」という本能があります。何事も「安全な方がいい」と願っているのです。危険なことは避けたいのです。冒険はしたくないのです。

けれども、この人生には一〇〇％の安全なんてあり得ません。明日の天気だって、正確に予測することは難しいのです。よほど安定した気圧配置でもない限り、「絶対に晴れる」とは断定できません。午前中は晴れていたけど、一天にわかにかき曇り、大雨が降りだすことだってあります。予測していなかった事態になることが少なくありません。

私たちの人生も、これと同じではないでしょうか。思ってもいなかったアクシデントに遭遇することがよくあります。先々のことは誰にも読めません。

だからといって、先々のことをむやみに煩労《はんろう》する必要はないと思います。出て来もしない化け物におびえることはないのです。臆病な取り越し苦労は何の役にも立たないからです。

有島武郎が『或る女』の中で次のような一節を書いています。「畏《おそ》れる事なく鬼にも邪にもぶつかってみよう」――。先には何があるのか、それは誰にもわからない。しかし、先々のことをむやみに恐れることはない。恐れない者には道が開ける。行け。勇気をだしてぶつかっていけ……。と有島武郎は説いています。臆病な煩労に振り回されそうな私たちを叱咤《しった》する言葉です。

それでも、私たちは変化を恐れます。新しいことをして失敗したくないからです。でも「淀《よど》んだ水は腐《くさ》る」の格言のとおり、人間も、「停滞した人」はやがて腐ります。マンネリというのは、この停滞した状態のことです。

そのマンネリから脱皮する方法があります。それは、「新しい状況」を意識的につくりだすことです。ふだんやっていることをほんの少し変えてみるだけでも、かなりの効果があります。

たとえば、いつもより一時間早く起きてみます。そして、空いた時間を何かにあてるのです。たとえば読書したり散歩したりしてみると、きのうとは違った新しい視界が開けてきます。

通勤の帰りのコースを変えてみるのもいいと思います。めったに立ち寄ったことのない街をブラついてみると、新しい発見に出遭います。

とにかく、自分の環境やライフスタイルをできるだけ変化させる努力が必要です。そのようにして柔軟な感受性を磨きます。

柔軟性のある人は、精神的にも安定しています。スランプに陥ることもありません。どうしてかというと、そういう人は常に新鮮な刺激を創りだしているからです。「淀《よど》んだ水は腐《くさ》る」の格言を肝《きも》に銘《めい》じたいものです。

◎「毎日、一時間は読書する」習慣

週休二日が企業の間に定着し、サラリーマンの休日が増えました。

「休日は何をしているのですか?」とサラリーマンの方に質問すると、返答はいろいろです。人それぞれ休日の過ごし方は違うわけです。これは当たり前のことです。余暇が重視されている時代ですから、自由なライフスタイルを楽しめばいいと思います。

しかし、先ほどの質問に対して「休日はなんとなくブラブラしている」という答が圧倒的に多いのが気になります。休日が増えた分だけ、ふだんの日にしわ寄せがきて忙しい。だから休日はもっぱら休養に努めている、というのが現実のようです。

もちろん、休養は大切です。きのうまでのストレスを弛緩させる効用は大です。リフレッシュに水をさす意見を述べるつもりはありません。そのことをここで強調しておきます。そのうえで、本題に入らせていただきます。

先ほどから筆者が気になっていたのは「休日はテレビを見たりブラブラしている」という返答です。

ゴロ寝をしてテレビを見ていると、またたく間に二時間や三時間はすぎてしまいます。このような時間をもう少し工夫する必要があるのではないでしょうか。特に、子どもさんがいる家庭では親が気をつけたいものです。

私たちは、家にいるとつい、テレビに目がいってしまいます。映像は視覚に訴えるだけに、理解しやすいものです。ただ見ていればいいのだから楽です。画面は自動的に変わっていくので、こちらの自発的な努力がいりません。

実は、この習慣が怖いのです。自発的な努力をしないで情報を得るという習慣に、問題があるのです。これを続けていると、主体性が稀薄になってくる恐れがあるからです。

現代の子どもがその傾向に陥っていると思います。まず、彼らはまともな本を読むのがおっくうになってきています。

本というものは、あるテーマについてまとめたものを文字で読ませるものです。読書は主体的な行為です。読むという自発的な行為を持続するには努力が必要です。

本を読んでいるとすぐに飽きてしまったり眠くなったりする現代っ子が、少なくありません。これは自己抑制が欠如しているからです。

テレビ情報の一方的な受け入れが、自己抑制の欠如を引き起こす一つの原因となっていると思います。そして、それに伴う読書習慣の喪失です。一日一時間だけでもいいから読書する習慣を、親子で身につけたいものです。読書は精神を陶冶《とうや》するための基本だと思います。

第Ⅲ章　「プラスの自己暗示を与える」習慣

一時的に悪そうにみえても
あわてることはない
すこしばかり悪いことが
続いても あきらめては
いけない

夜明け前が いちばん暗い
もうすこしすれば
夜は明ける
もう 幸せの芽が
出はじめている

阿奈靖雄 ©

◎「成功するまで続ける」習慣

「まったくツイてないよ」「今日はなんて運の悪い日なんだろ」「自分はどうしてこんなに運が悪いんだろう」……などと、しょっちゅうボヤいている人がいます。

たしかに、運の良し悪しはあると思います。しかし、運が悪いのは自分自身にも問題があるからだといわれています。

久保田万太郎が書いた『短夜』に、次の一文があります。「運」についてです。

「人間、運だといいますけど、必ずそうばかりもいえません。……それだけの、また、甲斐性がなければ」――。

デューク大学の心理学者J・B・ライン博士は「あなたが受けとる運の種類は、あなたが自分で決めているのだ」と説いています。

私たちは、すべて自分自身で自分の運命をつくっているのだ、というわけです。誰だって、好きこのんで悪い運を望むはずはありません。これは当たり前のことです。さて、ここからがカンジンです。

たしかに、私たちは意識的には悪運を望んだりはしません。しかし、私たちは間違った考えや行動によって無意識に「不運」を引き寄せてしまっていることがあるのです。前記したライン博士と久保田万太郎の言葉をかみしめていただきたいのです。もういちどいいましょう。運の種類（幸運か不運）は自分で決めているのです。

こうなると、「幸運」を引き寄せるためにはどうすればいいのかが明らかになってきます。まず、そのポイントは「何か事をなすときは、悪い結果を想像しないこと」です。つまり、「運が悪い結果」を心に描かないこと。首尾よく成功している姿を心に描くことが重要です。

現実的に状況がよくないようなときでも、「これは、自分のためによかれということで起こっていることだ」と信じて対応する。つまり、決して「不運」だと認めてしまわないのです。

そして、もっと大事なことがあります。それは「行動」です。幸運を引き寄せるために一所懸命になって行動することが大切なのです。志を立てて事を始めたら、いちどや二度くらいの失敗で、あきらめてはいけません。世の中は常に変化しています。いちどは失敗し目的が果たせなかったとしても、それにめげず辛抱強く努力することが大切です。そうしていると必ず、いつのまにか情勢が有利に転換してくるものです。

私たちがふだんいっている「失敗」とはどういうことなのでしょうか。それは、「成功する前に途中であきらめてしまっている」ことなのです。「成功するまで続ければ成功する」という格言を肝に銘じたいものです。

◯「"行き詰まりは進歩発展の前ぶれ"と思う」習慣

今日まで自分を導いて来た力は

明日も自分を導いてくれるだろう

これは、島崎藤村の『新生』に出てくる言葉です。

多くの艱難《かんなん》を乗り越えて自分の道を開いてきた藤村の自信から生まれた名言です。

「あれほどの艱難を乗り越えてきた自分さ。これから何があったって平気さ。あすのことを取り越し苦労することはない」という意味の言葉だと思います。

あなたも、藤村のこの言葉を手帳などに控えておかれるといいと思います。何かにつけて役に立つからです。

たとえば、会合などの席で突発的にスピーチを求められたとき、話の切りだしに使えます。

このような「名言」とか「諺《ことわざ》」を冒頭にもってきて話を切りだすと、相手の注意をグッと引きつけることができます。

名言、諺、格言などは含蓄がありますので、あとの話が続けやすいはずです。

本を読んだり他人の話を聞いたりして、いくつかの名言、諺などを手帳に書きとめておく。そして、いつもそれをもっているといいでしょう。

このような含蓄のある言葉を控えておく効用が、もう一つあります。むしろ、こちらのメリットの方が大きいかもしれません。

自分が落ち込んだときとか挫《くじ》けそうになったとき、これらの言葉が自分を叱咤《しった》激励《げきれい》し、奮《ふる》いたたせてくれます。筆者は、松下幸之助氏の教訓を座右の銘にしています。次の一節です。

「行き詰まりは、進歩発展の前ぶれである」

「一見、〝行き詰まり〟と思えることでも、長い目でみると必ず道は開ける。また、いままでの体験が肥やしとなって、その人を育てている」と語っています。

たとえば、病気で倒れた。倒れた当初、本人は嘆《なげ》き苦しむ。しかし、嘆いたり悲しんだりすれば病気が治るのなら、大いに嘆け。そして悲しめ。しかし、嘆いたり悲しんだりしているとますます気分が滅入ってくる。マイナス感情を繰り返していると精神的にまいってしまう。だから、起きたことはあるがままに肯定して、それに従え。そして死にもの狂いで楽天的に考える。そうすると、不思議に心が明るくなってくる。そこから思わぬ道が開けてくるものだ――と松下氏は説いています。

「今日まで自分を導いて来た力は、明日もまた自分を導いてくれるだろう」――困難を乗り越えてきた人なら、ジンとくる言葉だと思います。

◎「一時的な苦しみに挫《くじ》けない」習慣

モチベーションの講演家としては世界一ともいわれているジョセフ・マーフィーの名言があります。「災難の中には幸せの芽が潜《ひそ》んでいる」という言葉です。聖書でも、同じようなことを説いています。「いま泣く者よ、あとで笑うことを得ん」と。

一時的な苦しみに挫《くじ》けないで、「これでよくなる。もう、幸せの芽が出始めている」と確信することが大切だ、と教えているのです。苦難を乗り越えてこそ本当の幸せの芽をつかむことができる、と明言しているわけです。

仏教では、そのへんのところを「極楽浄土」論で説《と》いています。現世《げんせ》の苦難を乗り越えれば来世（死後）は「極楽」が用意されている、と論じているわけです。いわゆる「極楽往生《おうじょう》」です。この思想は長い間、わが国庶民の中に生き続けています。

ところで、この「極楽」という、「未来」を想定したイメージの力は実に大きいと思います。

喜ばしい未来をイメージすると、私たちの心は奮《ふる》いたちます。これは不思議です。たとえば「この仕事を終えたら、しばらく休暇をとって、外国旅行を楽しんでこよう。だから、それまでの間、いまの仕事に全力投球しよう」などと頑張れるものです。

何か事を始めるにあたって、失敗しそうな不安に陥るときがあります。そのように、おじけづいて先へ進めなくなったときは「喜ばしい未来」をイメージしてみるといいと思います。つまり、「成功」したイメージを描くのです。そうすると、目標は具体的になります。そして、早くそこまでたどり着きたい、という願望がハッキリしてきます。成功したい、という欲求が強くなります。そうした欲求が、失敗の不安を取り除くことになるのです。

あなたがいまの仕事や勉強に負担を感じてヤル気をなくしているとしたら、次の方法をお勧めします。仕事や勉強の量を細分化するという方法です。

わかりやすい例で話を進めましょう。たとえば、英単語の暗記です。一年間で三〇〇〇語覚えよう、と計画したとします。まともに取り組むと、かなりの量です。思っただけで、かなりのプレッシャーです。

そこで、この三〇〇〇語を一ヵ月ずつに細分化してみるのです。すると「一ヵ月に二五〇語」です。さらに細分化すると、「一日平均八語」です。一日一時間を英単語の暗記にあてると「八分間に一語」です。

この「細分化法」を意識的に使えば、一見、膨大《ぼうだい》にみえる仕事や勉強も重圧感がなくなります。かえって気楽に取り組めるようになり、能率もあがるはずです。

「千里の道もひと足宛《ずつ》はこぶなり」（宮本武蔵『五輪書』）――。

「よい結果をイメージする」習慣

新しい仕事にとりかかるときとか、何かはじめての事をしようとするとき、どうしても私たちは不安の方が先にきてしまいます。「うまくいくだろうか？」「失敗したらどうしよう？」……などと、やる前から心配でしかたがないわけです。

こうなると頭がポーッとしてしまって、身体もコチコチにこわばってしまいます。これでは、本当の実力が発揮できません。しかし、現実的にはほとんどの人がイザというとき、大きな不安にかられてガタガタしてしまいます。

これを克服する方法はないのでしょうか。

まず、「自分にはできっこない」とか「失敗したらどうしよう」とかの「悪いイメージ」を描かないことが第一です。

やる前から「失敗するのではないか？」とビクビクしているのですから、頭が混乱して、まともな考えが出てこないわけです。当然のことながら、身体もこわばってしまいます。

だから、決して「悪いイメージ」を連想してはいけないのです。「良い結果」のイメージだけを描くことが大切なのです。うまくいったときの情景を具体的にハッキリとイメージするわけです。

この「イメージ成功法」は、スポーツ界で盛んに取り入れられています。オリンピック選手ぐらいのレベルになると、ほとんどの選手がこのイメージトレーニングを行なっています。実力的にはほとんど差のない選手たちの最後の勝負は「精神」にあるからでしょう。

オリンピックの優勝者のテレビインタビューを見ていると、そのことがよくわかります。

「自分が一着でゴールする情景をイメージしていた」とか「相手を負かした自分の姿をハッキリと描いていた」と答えています。たとえば、オリンピック一〇〇メートル走の優勝者カール・ルイスは、「スタートの時点で、すでにゴールをイメージしている」と答えています。「テープを切って一着でゴールへ飛び込んで行く自分の姿をハッキリと描いていると、不思議に自信がつく。そして、それが実現してしまう」と語っています。

プロ野球界で、あのような名選手は二度とは出ないだろうといわれているのが、ベーブ・ルースです。そのベーブ・ルースのイメージ成功法はあまりにも有名です。

彼はバッターボックスに入るとバットでライトスタンドを指し、ホームランを打ち込む場所まで予告したといいます。

私たちも、何か事に当たるとき、いらぬ取り越し苦労や不安を吹き飛ばしましょう。それには、カール・ルイスやベーブ・ルースくらい強気なイメージを描く習慣が必要だと思います。

◎「目標を明確に設定する」習慣

「願望」と「目標」との違いに気づいていない人が意外に多いと思います。〝海外旅行に行きたいなあ〟と思うのが願望です。〝海外旅行に行くことにしよう〟と決めるのが目標です。つまり、目標には自分の意志が込められています。しかも、現実性があります。

「成功者は〝願望〟と〝目標〟の違いを知っている」といわれていますが、納得できる名言だと思います。どんなささいなことでも、それをなしとげる姿勢がとても大事だといえます。

たとえば、朝おきたとき「今日は○○をやろう」と自発的に目標設定し、その日のうちに必ずやりとげるといった具合です。そのときのポイントは、できるだけ具体的に考えるということです。

「今日、仕事が終わったら○×屋に行ってみよう。あの店の天ぷらは最高にうまいと田中さんが言っていたから……。そうだ、田中さんを誘ってみよう……」といったような、ささいな目標でいいと思います。

要は、毎日一つでいいから「確実にこなせる」目標を設定し行動に移していきます。

人にいうとバカにされてしまいそうな、くだらないことでもいいのです。毎日積み重ねていくところに意味があるのです。

私たちの一日のスケジュールは、人それぞれそれなりのペースで進行しています。しかし、「それが本当に自分の内側から湧き出てきた意志で進められているかどうか」が問題だと思います。

たとえば、ビジネスマンは「会社に着いたらさっそくK社に電話して納期を確認。それからY社に出す見積書を作って、十時からの経営会議に出席して、午後からは……」といったようなスケジュールで一日が進行。

家庭の主婦は「朝食の仕度《したく》をして、子どもを学校に送り出す。亭主を会社に送り出す。その後、食事の後片《あとかた》づけをして、洗濯をして……」といったようなパターンです。

これらのスケジュールは、すべて「やらなくてはならないこと」です。それをこなしているのにすぎないのです。自己実現のための自発的な意志の部分は、ほとんどありません。

毎朝一つだけでいい。自分の内側から湧きおこる小さな「目標」をハッキリ意識したいものです。そのこと自体が積極的行動を促す要因になるからです。現実にそのことが達成されないことがあっても、行動を起こしたという積極性は身につきます。

「空虚な目標であれ、目標をめざして努力する、その過程にしか人間の幸福は存在しない」という三島由紀夫の言葉に要約されます。

◯「〝自信がない〟とか〝できない〟などと思わない」習慣

筆者の知人で、元ボクサーだった人がいます。彼はいま、ボクシングジムを経営しています。

彼と話していると、ボクシングの世界のことがよくわかります。彼の話の中で、筆者が「なるほど」と感じさせられたことがあります。それは、「強い選手に育てるためのヒケツ」のことです。

彼の話では、ある程度のところまで練習をつけていると、どの選手が有望かがわかってくるそうです。そうして、目をかけた選手は特に大事に育てていくといいます。さて、そのコツです。その有望選手には「失敗体験」を味わわせないのが最大のポイントだ、というのです。

とにかく「負けそうだ」とか「自信がない」などといった「失敗体験」につながる感情を抱かせないようにすることが重要だ、といっています。

だからまず、初めのうちは、選手が勝てそうな相手とばかり対戦させ「成功体験」を積ませる。そして、徐々に強い相手と対戦させて勝たせていく。この勝利感を味わわせながら技術のレベルアップを図っていくのがヒケツだ、と語っています。そうした自信が大きなパワーを生むからだそうです。この原理は、私たちの日常生活にもあてはまることだと思います。

何事も、目標を達成するためには一歩一歩、努力を積み上げていく必要があります。そして、そのステップの中で「成功体験」を味わっていくことが大切だと思います。小さな成功体験を重ねていくと、それが大きな自信に変わってくるからです。

人間の肉体的な体力は三十歳前後が頂点だといわれています。そして「気力」の方は四十歳ぐらいがピークだといわれています。もちろん、個人差はあります。しかし、一般的には、四十歳をすぎると気力はだんだん落ちてくるのが普通だそうです。

ところが、四十歳をはるかにすぎた年齢の人たちが、矍鑠《かくしゃく》としています。若者に負けないほど、エネルギッシュに走り回っています。バリバリと仕事もこなしています。

これは一体どういうことなのでしょうか。体力も気力も衰えているはずの熟年たちが立派に仕事をこなしている理由は、何なのでしょうか。それは「経験の力」だと思います。これまでのその人の人生経験が、その人の気力の衰えを支えるからです。こうした経験の力があるからこそ、むしろ若い人たちよりも気力のパワーがあるのだと思います。

ここでいう「経験」とは、これまでの人生における数々の成功体験と失敗体験のことです。本項では、そのうちの「成功体験の生かし方」について述べました。

◎「〝必ずうまくいく〟と確信する」習慣

筆者が二十八歳のときのことです。ある化粧品メーカーからの依頼で講演をしたことがあります。本番の講師が急病で倒れたため、ピンチヒッターとして筆者に声がかかったわけです。

講演会場には販売店のご店主が一〇〇人ほど集まっていました。その前で筆者がどんな講演をしたかは、ご想像におまかせします。何しろ〝人生最初〟のピンチヒッター講師だったのですから……。それにしても、五時間という講演時間をつとめるのは大変でした。大勢の人の前で話した経験のない筆者にしてみれば前代未聞の初体験です。

〝気が狂うほどの緊張〟などと表現するとちょっとオーバーかもしれませんが、そのときの緊張ぶりは大変なものでした。――あれから二十数年、ずっと講演活動を続けてきています。いまでは、講演業がすっかり本業になってしまいました。そのおかげで、毎日すばらしい財産を得ています。全国各地のいろいろな人々との〝出会い〟という財産です。

世間には、本当にいろいろな生きざまの人がいます。「我《われ》以《い》外《がい》皆《みな》師《し》」の格言を実感させられています。そんな中で最近、発見したことがあります。「成功」ということについてです。つまり、世間には「何をやっても成功する人」と「何をやってもウダツのあがらない人」とがいるということです。「ツイている人」と「ツイていない人」がいる、といいかえてもいいでしょう。そして、この両者を振り分ける決定的なカギがある、ということが筆者にもわかりかけてきました。

　そのカギとは、いったい何でしょうか？　端的にいうと「人格」です。そして、その人の「人格」の底を流れている「器量《きりょう》」の大小と「自信力」の差だと思います。「人はその〝器《うつわ》〟以上に大きくなれない」といいます。つまり、成功するかどうかのカギはその人の「器」の大小にかかっているのだ、ということです。それと、その人の「自信力」がモノをいいます。

　心の中に臆病に描かれた計画は、プラグがぬれて点火できないエンジンと同じです。「器」の小さい人は、いつもプラグがぬれています。だから、〝希望〟と〝自信力〟を爆発させることができません。いつもくすぶっているわけです。

　大成をとげた人は例外なく「器」が大きい人です。まず、モノの考え方と表情が明るいのが特徴です。そして、何事にも積極的です。たえず「これでもか、これでもか」と前向きに働きかけています。

　そうしていると自分が望んでいる幸運を引き寄せることができる、ということをよく知っているのでしょう。この人たちの最大の特徴は確信の強さです。「たぶん大丈夫だと思う」ではなく「必ずうまくいく」と確信しています。

◎「願望を映像化して実現させる」習慣

「実行せざる思付きは空想と称し、又た妄想と称す。もし空想妄想の中に生活して自ら知らずんば、意外の失望苦痛を来たさん。故に能く〝実行〟と〝思付〟との境界を立て置き、時々点検す可《べ》し」（国木田独歩『欺かざるの記』）——。

漠然とした空想ばかりにふけっていて、ちっとも行動が伴わない人のことを叱咤《しった》した国木田独歩の名言です。明治四十一年の作ですが、私たち現代人にもあてはまります。

現代人といえば、意外な事実があります。それは、「〝自分の願望〟が何であるかを具体的に知っている人は一〇〇人に一人くらい」という調査結果です。「なんでもいいから、とにかくいい暮らしがしたい」と漠然と思っている人がほとんどだというのです。

こういう人は、一生のうちにどこへ行き着くのでしょうか。行き着く目標もなく、大海をプカリプカリと漂流しているようなものです。

とはいえ、私たちはそれなりに一所懸命に生きています。ところが、一所懸命に努力している割には成功している人が少ないといえます。ということは、ただがむしゃらに努力するというほかに何か必要なものがありそうです。

その「何か」が重要ポイントです。その何かとは「人生の目標」のことです。ハッキリとした目標を定め、それに到達するための確信をもつことが大事だと思います。

自分の人生の中で、自分は何を得ようとしているのか。まず、それをハッキリと知ることだと思います。自分の目標が決まったら、次のステップに移ります。

次のステップのことを〝シーリング〟といいます。つまり「目標を達成している自分の姿」を心のスクリーンに描くのです。

たとえば自分が独立して、社長になって活躍している姿。あるいは、営業成績がトップとなって役付きに昇進した姿。欲しかった乗用車を買ってハイウェイを走っている姿……など長期の目標、短期の目標を鮮明に映像化します。潜在意識にシッカリと刻み込んでおくわけです。

ここで、決定的に大切なことがあります。それは、その映像を現実化するための行動です。描いた姿を単なる空想や白日夢に終わらせてしまってはいけないのです。自分が描いた姿に近づくための具体的な行動を起こさなければ、何にもなりません。

ところが、ややもすると、その決意がぐらつくことがあります。あるいは、忘れてしまったりもします。ですから、目標は紙に書き出します。そして、自分の目につく所に貼ったり、定期入れや財布に入れて、一日に何回となく見れるようにしておきます。目標に向かうための行動をしているかどうかを、常にチェックする。それが願望実現の重要ポイントです。

◯「"目標達成の締切り日"を厳しく設定する」習慣

昔、あるところに三人のレンガ職人がいました。三人のうちの一人の職人に向かって、ある人が次のような質問をしました。「あなたはここで何をしているのですか?」――。

一人目の職人Aは「ご覧のとおりです。レンガを積んでいます」と答えました。

二人目の職人Bは「一日の手間を稼ぐために働いています」と答えました。

三人目の職人Cは、夢みるような明るい表情で空を見上げながら「ここにすばらしい建物が建つんです。永遠に残る大聖堂です。この地方の人々の心のオアシスになる大聖堂が建つんです。私はそのために、こうしてせっせとレンガを積んでいるのです」と答えました。

職人Cの話は続きます。「私は、レンガ職人をしながら夜間の学校へ通っています。建築設計の勉強のためです。いまはしがない職人ですが、将来は必ず一流の建築家になってみせます。そのためのステップとして、まず来年中に資格試験を受けます」と、目を輝かせながらきっぱりと答えました……。

この物語は、私たちに一つの教訓を与えてくれています。AとBの職人はこれといった目的のない、その日暮らしの人生です。だから、AとBの職人は一生、ウダツがあがらないでしょう。

一方、自分の目標を鮮明に描いた職人Cは、決して下積みのレンガ職人にはとどまっていない。必ずその目的を果たし、成功者となるでしょう——という教訓です。

「目標をめざして努力する過程にしか、人間の幸福は存在しない」——これは三島由紀夫の名言です。人生における目標設定の大切さを説《と》いているわけです。

古今東西の発明、科学上の発見、技術開発、事業の成功……いずれにも共通点があります。それは、それらの発明や発見をした人たちが「明確な目標」をもっていたということです。だから、そのことが実現したわけです。

私たちの人生にも「目標設定」が大事だと思います。トップセールスといわれている営業マンたちは、このようにいっています。「私は売上げをあげることばかり考えています。でも、ただ単に売上げアップを叫んでいるうちは成績が上がりませんでした。それではダメだということで、詳細な数字と締切り日を厳しく設定しました。そうしたら強いパワーが出て、次々に目標が達成されていきました。特に、締切り日まぎわのパワーはすごいものです」……。

このセルフコントロールのノウハウは、すべての人に生かせるはずです。自分の目標の実現のために、「具体的な数字や締切り日を厳しく設定しておくことが重要」——漠然とした空想では、いつまでたっても実現しないからです。

◎「プラスの自己暗示を与える」習慣

ゴルフをやったことのある人なら誰でも経験していることがあります。それは、池越えのショットのときのことです。手前に池があると、どうしても気になって「池に入れてはいけない」という気持ちが頭をかすめます。そう思いながらうつと、奇妙なことにボールは池に飛び込んでしまうのです。

これは「池に入れてはマズイ」と思うのと同時に「もしかしたら、飛び込んでしまうかもしれない」という自己暗示が働くからです。だから「もしかしたら」の自己暗示のとおり、ボールが飛び込んでいくわけです。OBの場合も同じです。

こんなことを二度三度と繰り返すと、スコアはガタガタに乱れます。

仕事の面でも「もしかしたら、うまくいかないかもしれない」と思いながらやったことは「もしかしたら」の自己暗示のとおりになってしまいます。結果は、「うまくいかない」のです。

それとは逆に「必ずうまくいく。成功する」と一〇〇%確信してやったことは、うまくいきます。一〇〇%の確信というところがミソですが、いずれにしても「自己暗示」のなせる業です。

ここでちょっと、自己暗示について考えてみましょう。

昔からの言い伝えで「食べ合わせ」というのがあります。たとえば、「スイカと天ぷら」は食べ合わせです。あるいは「梅ぼしとウナギ」。これらを一緒に食べるとおなかをこわす、といわれています。しかし、これは医学的には根拠がないそうです。暗示による影響である、という説の方が強いようです。

Kさんは子どもの頃、天ぷらとスイカを何度も食べたことがあります。ところが、Kさんが高校生のとき、ある人が「天ぷらとスイカは食べ合わせが悪い。そんなものを一緒に食べたらひどい目に遭うぞ」と、Kさんに注意しました。Kさんは食べ合わせのことなんか知らなかったのです。だけど、その言葉を聞いて以来、天ぷらとスイカを食べるとKさんは必ず下痢をおこすようになってしまいました。おとなになったいまでは、天ぷらとスイカは、見ただけで気分が悪くなるそうです。このように、自己暗示の力というのは恐ろしいものです。

「私は生まれつき身体が弱い」「私は気が弱いから、できない」「私は人づきあいがヘタだから」「私はノロマだ」「私はバカだ」……これらはみんな、マイナスの自己暗示です。

このような悪い暗示を自分に与えていると、本当にそのことを引き寄せて、そのとおりになってしまいます。これが「心の法則」です。マイナスの暗示ではなく、「プラスの自己暗示を与える」習慣が大切です。

◎「〝潜在意識の力〟を生かす」習慣

精神分析の創始者フロイトが二十世紀の初めに発表した有名な学説があります。「人間には二つの〝意識〟がある」という説です。

一つ目は「現在意識」です。私たちはテレビを見たり新聞を読んだり人と話をしたりして、日常生活の中でいろいろなことを感じ、考えます。

そのような、〝意識的な思考〟のことをフロイトは「現在意識」と名づけました。甘い、辛い、痛い、かゆい、熱い、冷たい……などの知覚も現在意識です。「現在意識は人間の心の中でわずか一〇%くらいしか占めていない」とフロイトは主張しています。

では、残りの九〇%の〝心の正体〟とは何なのでしょうか？　フロイトは、それを「潜在意識」と呼んでいます。私たちが意識していないところで私たちの行動の大半を支配している。この驚くべき無意識の力が「潜在意識」なのです。

潜在意識のことをもう少し詳しくご紹介します。たとえば、私たちが道を歩くとき「右足よ、前に出よ。右腕よ、前に出よ……」などといちいち意識しません。無意識で手足を動かして歩いているわけです。

たえまなく鼓動を続けている心臓、肺の呼吸や胃腸の消化作用など、私たちの身体《からだ》の諸器官も無意識で活動しています。

これらは「無意識」が私たちの身体を支配している証拠です。潜在意識もこれと同じです。

たとえば、自動車の運転を例にします。最初のうちは動きがぎこちありません。「現在意識」の命令で手足を動かしているのですが、思うように運転できません。しかし、だんだん慣れてくると手足が無意識に動くようになり、運転は自由自在です。

潜在意識は、訓練によってその能力を何倍にも増幅することができるわけです。また、潜在意識というのは、何度も反復したりして心にシッカリと刻み込まれたことを必ず実現してしまう〝万能の力〟がある、とフロイトはきっぱり。

潜在意識のことは前々から知っていた、という人がいます。そして、その人は「〝自分は金持ちになれる〟という願望を何ヵ月もかけて心に刻み込んだ。しかし、依然として金持ちになれない」と口をとがらせます。

こういう人の場合、例外なく、自分の心の奥底で嘘をついています。「金持ちになれる」と心に刻んだといっていますが、心の奥底では「そんなに簡単に金持ちになれるはずはない」と疑っているからです。潜在意識はホンネしか受け入れないのです。だから実現しないのです。潜在意識の力を生かすには、自分に「嘘をつかない」こと。これがポイントです。

◎「途中であきらめない」習慣

筆者が尊敬する師、細野恒充先生は、毎朝三時に起床して般若心経《はんにゃしんぎょう》を写経されています。

旅に出たときも筆を持参して、〝一日一巻〟を必ず果たしておられます。一日の始まりの〝行《ぎょう》〟なのでしょう。三十年間続けておられます。一日も欠かさず毎日なのですから、本当に敬服してしまいます。

古い名言に次の一節があります。「井戸を掘りて、いま一尺で出る水を掘らずに出ずと、人は憂き」――。

あと一尺（三〇センチ）掘れば水が出てくるのに、途中であきらめてしまう。これではいままでの努力がムダになってしまう――という教訓です。

ここでいう「井戸を掘る」は「事を成《な》す」とおきかえて解釈していいと思います。何事も「続ける」ことによって成る。大切なのは才能ではなくて根気である、というわけです。

「千日の稽古を鍛とし、万日の稽古を練とす」。これは宮本武蔵の『五輪書』の一文です。一つの道の稽古を三年続けるのを「鍛」という。三十年続けるのを「練」だと、武蔵は説いているのです。どんなことでも、そのことを三十年以上続ければモノになる、という教訓です。

何事も「始める」ことはやさしいのですが、それをずっと「続ける」ことはむずかしいものです。どうして、続かないのでしょうか。

途中で飽きてしまうからだと思います。あるいは、怠惰心《たいだ》にとりつかれることもあります。困難を感じて放っぽりだすこともあります。挫折の理由はいろいろです。

ここで、一つの問題点がクローズアップされてきました。それは「始めたときの気分」です。その「気分」をずっと一定に保つことがいかにむずかしいか、ということです。

長いあいだ努力を続けていると、疲れがでてきます。だから、ある程度のところまで進むと〝やれやれ〟と安心して気がゆるみます。

囲碁や将棋、あるいはスポーツなどでも、苦しい闘いを乗り越えての終盤「この分なら勝てそうだ」と楽観して気がゆるむ。その気のゆるみがもとで、たちまち逆転負けしてしまう。勝負の世界では、このようなことがよくあるそうです。私たちの「人生の道」についても同じことがいえると思います。

「世の中の事はすべて根気仕事である。根気の強い者が最後の勝利を得る」という新島襄の言葉が彷彿《ほうふつ》としてよみがえります。

自分を鞭《むち》打ちながら「続ける」という自己支配力がポイントです。日常のささいなことでも、やると決めたら「続ける」。この「続ける」氣力のことを根気というのでしょう。

◯「"自分は運がいい"と思う」習慣

この世には一〇〇％の「幸せ」などはあり得ません。と同時に、一〇〇％の「不幸」もないわけです。「幸せ」と「不幸」は半分ずつだ、と思っていればいいのかもしれません。そうしておきましょう……。

ところで、私たちは「幸せ」というものは誰かが自分に授けてくれるものだと思っています。だから、自分の知人が「幸せ」になったりすると「あの人は運がいい」などと羨《うらや》ましがります。

そして「あの人には運が向いてきたけど、自分には運が向いてこない」と考えたりします。ややもすると、自分の「不運」を認めてしまうこともあります。実は、これは禁物なのです。

「自分は不運だ」などと、絶対に認めてはならないのです。その理由を次に述べます。

私たちは毎日、一つひとつ小さな行動を重ねています。その小さな行動の積み重ねが、自分の大きな運命をつくりあげているわけです。

だから、小さく見える一つひとつの行動を大切にしなければなりません。行動をおこす原動力は「心」です。「心」に描かれたことが行動になってあらわれるわけです。

「朝おきて家を出て、電車に乗って会社に着く。そしてデスクに坐って書類に目を通し……」というように、私たちは毎日毎日、自分の〝心〟で先に描いたことに従って行動しているのです。学校を選ぶのも、会社を選ぶのも、結婚相手を選ぶのも……すべて自分の〝心〟が行動を支配しています。

これは「心に描いたことがあらわれる」という法則によるものです。もう一つの法則があります。それは「心で認めたものが存在し実現する」という心の法則です。

だから、悪循環をぶち破る最大のヒケツは「悪い状態を認めない」ということです。こんなことをいうと「悪い状態のときに平気でいられるか！」と反論されるかもしれません。しかし、いくら「不幸」を不幸と認めても「幸福」にはなりません。たとえば患者に、「あなたは不幸な人だ。もう、助かりません。気休めに薬をたくさんあげましょう。そうすれば、病院が儲かりますから……」などという医者はいません。「大丈夫、きっと治ります」と元気づけるのが医者です。悪い状態（重症）を認めさせると患者が気落ちして病気がさらに悪化することを、医者は知っているからです。「認めたことが存在し実現する」法則を医者は承知しているのです。

冒頭の「運」の話に戻ります。「自分は運が悪い」と認めてはいけないのです。悪いときにはなおさらのこと「死にもの狂い」で「自分は運がいい」と自己暗示を繰り返すことです。やがて運が開けてきます。

●「願望目標を紙に書き出す」習慣

クラウド・ブリストルの『信念の魔術』（ダイヤモンド社）という本は長年のベストセラーです。筆者も二十五年ほど前にこの本と出合い、大いに影響を受けました。いまでも時時、読み返しています。名著です。著書の中でブリストルは、次のことを繰り返し強調しています。

「自分が欲しいもの、なりたいと思っていることをハッキリと心に描け。そして、それが実現すると確信しろ」――希望や願望を単なる夢物語に終わらせないためには「信念の力」が重要である、と主張しているわけです。しかし、ただ単に「うまくいくと信じろ！」といわれても、戸惑ってしまうのが普通です。

この心理的効果を無理なく活用する方法があります。

一例を紹介します。まず、自分の願望を具体的に紙に書き表わします。視覚化するわけです。たとえば、あなたが「新しい乗用車が欲しい」と思っていたとします。これだけでは、ただの夢物語に終わってしまいます。

信念を維持させるヒケツは次のことです。まず、カードを五枚用意します。そして、そのカードにあなたの願望と達成日を書き込みます。どんなクルマが欲しいのか、具体的にです。たとえば「ベンツ190　購入。○年○月○日、目標達成！」と書きます。

そのカードの一枚目は自宅の壁とかに貼っておきます。自分の目につくようにです。二枚目のカードは洗面台のカガミに。三枚目は寝床。四枚目はトイレ。五枚目はサイフに入れておきます。人目につくのがイヤだったら、自分だけがわかる記号かなにかにしておけばいいと思います。

毎日、毎日そのカードを見つめ、無意識のうちにイメージを定着させておきます。

名ゴルファーといわれたアーノルド・パーマーは、ボールをうつ前にボールがどういうコースを飛んで行くかをいつも頭の中で想い描いていたそうです。そうすると、ボールをうつとき、そのコースに乗るように身体が動き、ナイスショットが打てる、と語っています。

「このことが実現する」と強く思う。そして、それを潜在意識に刻み込めば、いままで実現しなかったことが実現するわけです。

心の中でいつも「できる」という信念があれば、自信とヤル気が湧いてくるのです。

ボクシングのスーパースターだったモハメド・アリは、試合前にいつも「オレが勝つ。オレは世界一強いボクサーだ」と明言していました。

彼が世界最強のボクサーであり続けられたのは「信念の力」を利用したからに違いありません。

◯「約束の時間を守る」習慣

筆者はよく講演を頼まれます。会場は、ホテルだったり会館だったり、いろいろです。講演の開始時刻も朝十時とか夕方の五時からとかで、これもまちまちです。ところが、どこの会場でも必ず共通している点が一つだけあります。それは講演の開始時刻です。定刻に始まらないのです。これは、北海道でも沖縄でもみんな同じです。受講する人たちが定刻に集まらないので始められない、というのが実状です。

たまたま講演の開始時刻の例をもちだしましたが、これと同じことは会議とか集会などでもたくさん見受けられます。

たとえば、会社の会議です。「五時から会議を始める」と伝えてあるのに、ルーズな人は五時十分すぎになってもあらわれません。二十分すぎ頃になって平気で遅れてきます。他の迷惑など考えません。

これは、五時と設定すると「五時ごろ」という感覚で受け止めるからだと思います。極端にいえば「五時十分過ぎ」も「五時十分前」も「五時ごろ」という感覚です。前後して二十分くらいの〝時差〟があるわけです。

実は、この〝時差〟がクセモノなのです。「五時」という時刻設定はどうしても甘く見られてしまいがちです。そこで、「四時五十五分」に会議を始めると設定したらどうでしょうか。この五十五分という端数の設定が、時間の厳密さを喚起させる心理的効果があると思います。

それと同時に重要なのは、終了時刻です。会議などの終了時刻をキチンと決めておくことも重要です。誰でも、締切りに追われると集中力を発揮し、仕事でも勉強でもテキパキと片づけていくものです。このタイムリミット効果はさまざまな形で応用できると思います。

本来なら一時間で終了する会議が三十分、ときには一時間以上も延長されるケースがよくあります。それだけ多くの時間をかけて討議したのだから、いい結論が出たと思います。ところが、実際はそうではありません。これといった進展もなく、ダラダラと堂々巡りをしている会議内容なのです。

これは、会議の締切り時刻を厳密に設定していない点にも原因があると思います。これだと、「時間ならいくらでもある」という気分になりがちです。と同時に、「どうしてもこの時間内に結論を出さなければ……」という真剣さと集中力に欠けます。だから、会議の終了時刻はキチッと設定します。たとえば、「五時五十五分きっかりに終了」ということが徹底すれば、出席者は「この五十五分間だけは集中しよう」という気になるはずです。むしろ、会議時間は短い方が真剣さがあっていいと思います。

●「〝プラス感情〟を抱きながら眠りにつく」習慣

「睡眠学習法」というのがあります。これは、ロシアで盛んに研究実験が行なわれている学習法です。深い眠りに入る前の、いわゆる寝入りばなの催眠状態を利用するやり方です。

ウトウト状態の無条件暗示のときに学習内容を刻み込んでしまおう、というものです。寝る前に勉強内容を録音したテープをセットしておきます。そうしてテープを回しておけば、眠っている間に無意識のうちに勉強が進むというものです。

催眠術の原理に似ています。催眠術をかけられた人が、かけた人の言いなりの行動をとるのと同じ原理だと思います。寝入りばなは、起きているときと比べると暗示性が非常に高いわけです。

ただし、ここで一つ問題があります。これまでに述べてきたとおり、眠りにおちる寸前は無条件暗示が強いときです。ですから、そのときに入れた情報は潜在意識の中に刻み込まれるわけです。しかし、その情報を潜在意識の中にしまい込んでおいただけでは役に立たないのです。必要に応じてその情報を取り出すことができなければ、意味がないのです。

いわゆる〝頭のいい人〟というのは、抽出《ひきだ》しの中につまっているこれらの情報を必要なときにパッと取り出すことができるのです。ここが肝心なのです。

いずれにしても、眠りにおちる寸前は暗示性が非常に高まっているときです。それだけに、この睡眠学習法を上手に生かせば、かなりの成果があがります。特に、自信回復や願望実現には卓越した効果が期待できます。筆者も、この方法を知ったおかげで、自分の人生に大いにプラスしています。

たとえば「あすの朝はスッキリと目覚める」「あしたもいいことがある」「自分はツイてる」「欲しいモノは手に入る」——などの肯定的な言葉、あるいは自分の「願望」を、繰り返しテープに録音しておきます。そして、まくらもとで、これらのプラス感情の言葉を聴きながら眠りにつきます。これを毎晩、毎晩繰り返すのです。「反復」が最大のポイントです。反復しないとダメです。

そうすると、やがて無条件暗示の成果があらわれてきます。自分の願望が次々と実現してくるから、本当に不思議です。

この寝際《ねぎわ》の気持ちはとても重要です。このとき、失敗や不運、困難、病気、いらぬ取り越し苦労などのマイナス感情を繰り返し抱くのは禁物です。マイナス感覚を抱きながら寝入ってしまってはいけないのです。なぜかというと、無条件暗示に繰り返し刻み込まれたマイナス情報が、そのまま現実のものとなって実現してしまうという法則があるからです。

第Ⅳ章　「人間関係をよくする」習慣

たとえ 良くないことが
起こったとしても それを
「不幸なことだ」と
受けとめてはいけない
「これは自分を鍛える

ために起きているのだと
プラス思考することだ
自分が幸福なのか
不幸なのかは　実は
自分の心が決めている

阿奈靖雄 ©

◯「人に親切にする」習慣

釈迦は「饑饉《ききん》の時ほど托鉢《たくはつ》せよ」と弟子たちに説《と》いています。饑饉で作物がとれず、農民たちは飢えています。そうした貧しい農家を一軒ずつ歩き回って報謝米を求めてこい、と教えているのです。釈迦たちは、なぜ、そんなに貧しい者のところへ托鉢に行くのでしょうか？

それは「与えれば与えられる」という自然の法則を知らしめるためだ、といい伝えられています。自分だけがケチケチと貯めこんで富を築こうという考えを、改めさせようとしているのです。

キリストは「人に与えよ、そうすれば自分も与えられる」と説いています。釈迦もキリストも、まったく同じことを私たちに教えているのです。

「一粒万倍《いちりゆうまんばい》」という格言があります。たった一粒の種が千倍万倍に増える、という意味です。しかし、種を播《ま》かなければ何の変化もおこりません。

人に「親切の種」を播けば、自分にも「親切」が返ってくる。人を信用すれば、自分も信用される。人を痛めつければ自分も痛めつけられ、闘争はさらにひどくなる……。自分で播いた種はみんな万倍になって返ってくる。これが釈迦やキリストの教訓だと思います。

他人から奪うことばかりを考えている人がいます。そういう人は他人を踏み台にして一時的に大金を得ています。あるいは、そこそこの地位についています。でも、それは一過性です。決して、長続きはしていません。

あなたの周囲を見渡していただきたいのです。そのような実例には事欠かないはずです。狡猾《こうかつ》な悪賢さで自分だけの利益を考えている人は、必ずどこかで挫折しています。それが「自然の法則」だからです。

「正直者がバカをみる」という言葉があります。たしかに、そういう場面が少なくありません。コツコツと真面目に生きている善人よりも、悪賢い人間の方が金持ちだったりしています。

「あんなに悪いことばかりしている人間がたくさん儲けて、いい暮らしをしている。それと比べると、正直者はちっとも儲からない」という現実です。

善人をさしおいて、悪人の方が栄えるものなのでしょうか。筆者はそうは思いません。世間の目は厳しく光っています。今日《こんにち》までの人間の歴史は、最終的には「善」が勝利しています。

だから、人類はここまで進歩発展してきたのだと思います。「千悪万悪」も「一善」には勝つことはできないはずです。もういちどいいましょう。それが「自然の法則」だからです。

◯「明るい笑顔、キープ・スマイル」の習慣

昔からいい伝えられている諺《ことわざ》に「笑う門《かど》には福きたる」というのがあります。実に名言だと思います。

「朗《ほが》らかな笑いは、自然界が人間に与えた最良の強壮剤《きょうそうざい》」といえます。朗らかに哄笑《こうしょう》すると、生理作用がたちまち活発になります。まず、血液の循環が順調になり、白血球の食菌作用が増加します。自然療養が盛んになるわけです。だから、明るい人は健康なのです。

「笑い」は、その人自身のためになるだけではありません。周囲の人たちにも好影響を与えます。たとえば、あなたが職場での単調な仕事に飽きていたとします。みんな、黙々として机に向かっています。そこへ朗らかな人が入ってきました。彼が明るいジョークをとばしたので、みんなが吹き出し、職場がパッと明るくなります。「ああ、面白かった」と、気分がリフレッシュします。気をとりなおして、また元気よく仕事にとりかかります。

「一流の人物というのはユーモアセンスを必ずもっている」と獅子文六がいっています。そのとおりだと思います。賢明な上役は、仕事の合い間に明るい冗談をとばして部下の気分をリフレッシュさせています。

教え方の上手な先生は、授業の合い間にユーモアを入れ、生徒たちを笑わせながら効果

的に授業を進めていきます。上品なユーモア、無邪気な冗談、悪気のない哄笑……、これらは自然界が人間に与えた良薬だと思います。

仕事の面では有能なのに、ウダツのあがらない人がよくいます。こういう人はだいたい、キマジメです。モノの考え方が四角四面だし、暗いのです。ユーモアセンスがないので、明るい冗談をとばしたりしません。朗らかに笑うことなど、めったにありません。

人は、仕事だけをする機械ではないはずです。人には、その人特有の雰囲気というものがあります。その人から漂ってくる雰囲気が「もう一つの仕事」をしているといえます。だから、その人の雰囲気が暗かったり、近寄りがたいものであったりすると、周囲の人も協力する気になりません。

これでは、仕事がうまくいきません。だから、暗くてキマジメな人はウダツがあがらないのだと思います。

キリストは「自分の表情（顔つき）は自分の心の表われである」といっています。また「自分の表情を変えれば、自分の心が変わる」ともいっています。さらに「悲しい時ほど笑え」ともいっています。笑いぬくとき、悲しさは征服されるというのです。

いつも快活に朗らかに笑える人は幸せです。

◯「不用意にホンネをさらけ出さない」習慣

手の小指を見せながら「私はコレで会社を辞めました」というテレビコマーシャルが、昔流行ったことがあります。小指は「おんな」の意味なのでしょう。

このCMのタッチでいくと、「私は酒で会社を辞めました」といえるような人もいます。酒が入ると、人格がガラリと豹変《ひょうへん》してしまうのです。どういうわけか、ふだんおとなしい人にこのタイプが多いようです。

「今日は上役も平社員もない。無礼講だ」などという言葉を真にうけて、ドンチャン騒ぎをします。隠し芸を披露したり、カラオケを絶叫したりの無礼講です。

すっかり酔いが回ったYさんが、社長にくってかかります。「社長！　今日は俺のホンネを言わせてもらう！」と社長をにらみつけます。そして、Yさんはすっかり自分の本心を吐き出しました。しかし、誰が聞いても社長を愚弄《ぐろう》しているだけの暴言です。とうとう、社長も爆発してしまいました。殴る蹴るのケンカが始まってしまったのです。

お互いに大ケガをしたりで、大変な事態に陥ってしまいました。Yさんのその後の消息は、会社の誰もが語ろうとはしません。淋しい退職（クビ）だったのです……。

Yさんの場合は、極端な例かもしれません。でも、自分のホンネをさらけ出して人とつきあうのが美徳だと思っている人がいます。それが正直な生き方だ、と考えているのです。

筆者はその考えには賛成できません。自分のホンネをすっかりさらけ出すのは、ときには非常に危険なことでもあるのです。

ホンネとタテマエを区別して表わすのが、人間の知恵だと思います。ホンネを見せないからあの人は不誠実だと考えるのは、筋違いではないでしょうか。

重症患者の耳元で「本当のことをいうと、あなたの病気は治りません」とバカ正直にいう医者はいません。その言葉が原因で患者の容体がどんどん悪化してしまうことを、知っているからです。だから「きっと治りますよ。私も最善をつくしますから、あなたも頑張ってください」と、希望的な言葉で元気づけるはずです。

タテマエとホンネは、一枚の紙のウラオモテみたいなものです。オモテの方が、すべすべしていて使いやすい。ウラの方は、ザラザラしていて汚ない。誰だって、オモテの方がキレイでいいと思っています。

ところが世の中は、ザラザラしたウラの方が必要な場合もあります。タテマエとホンネというものは一概に、どっちがいいか悪いか簡単に決めることはできません。

「人間は生きるためにごまかしている」（有島武郎『酒狂』）——。

◯「〃第一印象〃を大切にする」習慣

筆者が講演をするとき、いつも気をつけていることがあります。それは、演壇にあがったときの〝第一印象〟です。初対面のときの自分の印象が悪くならないように、心掛けているのです。

アメリカの心理学者ハイマンが行なった「人間の第一印象」についての実験は有名です。それによると、九〇％の人が相手の第一印象に左右されている、という実験結果が報告されています。つまり、私たちは相手の第一印象で相手の大方《おおかた》を評価している、というわけです。

物理学で「慣性《かんせい》の法則」というのがあります。「最初に与えられた力（運動）は、ずっとそのままの力（運動）を持続する」――これが「慣性の法則」です。同じように、人間は「最初」に関心をもつと、その関心をずっと持続させるわけです。心理的な慣性の法則が働くからです。だから、最初が大事なのです。

最初に悪い印象を相手に与えてしまうと、相手はその印象をもち続けてしまうのです。いったん潜在意識に刻み込まれた印象は、容易には修正できないのです。

以上のことを端的に表わしているのが映画だと思います。筆者の知人で、幸田清さんという方がいらっしゃいます。

幸田さんは東映東京撮影所の所長をつとめるなど、映画づくりの達人です。あの不朽の名作『二百三高地』の名プロデューサーとしても知られています。

筆者は、幸田さんに質問をしたことがあります。「映画づくりのコツは?」。すると、幸田さんは「冒頭シーンのインパクトです」ときっぱり。冒頭シーンでグッと引きつけておいて、そのボルテージを持続させるのがコツだ、と明言されました。

この「コツ」は、私たちの日常生活にもあてはまるようです。たとえば人と会話するとき、あるいは大勢の人前で話をするときなどがそうです。相手の関心を引く話題を冒頭にもってきて話を切りだすのです。

相手を引きつける話題の一例をご紹介します。第一のポイントは、とにかく「相手の利益」になること、たとえば「お金がたくさん手に入る」とか「儲かる」などの話題にはたいていの人が聞き耳を立てるはずです。

「病気が治る」「若返る」など健康のテーマも関心事です。相手が女性なら「顔のシワがとれる」「肌がキレイになる」「身体のプロポーションがよくなる」などの情報には強い関心を示します。若い人なら「異性にモテル」ための話題に目を輝かせます。

いずれにしても、最初の「第一印象」の大切さを肝に銘じて人と接したいものです。

◯「上手に相槌《あいづち》をうつ」習慣

「先日、女房とシンガポールへ行ってきましてね……」「シンガポールですか」「女房は海外旅行がはじめてでしてね……」「はじめてですか」「そう、だからはしゃぎましてね。まるで子どもみたいだったですよ」「子どもみたいにね」……ふだん、私たちはこうした会話をよく耳にします。

この場合、聞き手はシンガポールへ行ったこともないし、奥さんとも面識はありません。それなのに、会話はスムーズに運んでいます。会話の中身は、聞き手が相手の言葉の一部を反復しているだけです。でも、ちゃんとした相槌になっているわけです。

話の内容がよくわからないから黙っている。知らないことをいうと恥をかくから無言でうなずいている――消極的な人はとかく、こうなりがちです。これでは、話になりません。

自分の知らない話題であっても、相手の言葉の一部を反復する。これでも、ちゃんとした相槌になるのです。

消極的な人は「上手な言葉」や「豊富な知識」がないと会話がうまく運ばない、と考えています。

でも、決してそんなことはありません。相手の言葉を繰り返して気楽に対話すればいいのです。

その場合「なるほど」とかの言葉をアタマにつけてやると、相手は調子がでます。

あるいは「えっ、ホントですか⁉」とか「えっ、どうしてですか⁉」「へーえ、そんなに大きいんですか⁉」など、軽い驚きの言葉をつけ加えると、相手は「自分の話をよくきいてくれているな」という気持ちになって一所懸命に話すはずです。

元、日清製油最高顧問の坂口幸雄氏は、二十年以上も同社の社長をつとめた人です。坂口氏がその間につかんだものは社員とトップの信頼関係の大切さである、と語っています。そして、信頼関係を培うポイントはトップの姿勢である、と強調しています。

トップは聞き上手でなければならない。たとえ自分が知っている話でも、耳を傾けて熱心に聞く。「そんな話なら知っている」などと決めつけてしまったら、部下は臆して何もいわなくなってしまう。社員とトップとの風通しをよくし、相互に意見をいい合う雰囲気をつくる――と、坂口氏は聞き上手の大切さを説《と》いています。

このことは、ビジネス社会に限ったことではありません。私たちの日常生活においても同じことがいえます。

「言《こと》を弾丸に譬《たと》うなら、信用は火薬だね。火薬がなければ弾丸は透《とお》らない」（徳冨蘆花『思出の記』）――。

◎「会話の合い間にユーモアを入れる」習慣

「一流の人物というのはユーモアのセンスを必ずもっている」と獅子文六がいっていますが、まさにそのとおりだと思います。

人間にとって「笑い」は、実にこころよいものです。人間関係の潤滑油です。この「笑い」については、古今東西の人々がいろいろ研究してきています。

それによると、「笑い」には一つの原則があるというのです。その原則とは、「優越感だそうです。つまり、「人間は自分が優越感を感じたとき笑う」ということなのです。

たとえばこのような場合です。先日、筆者が足を洗おうと思って我が家のバスルームの水道の蛇口をひねりました。バケツの中に水を入れようとしたのです。蛇口をひねった瞬間、筆者は悲鳴をあげてしまいました。いきなり頭から水をかぶってしまったからです。間違ってシャワーの蛇口をひねってしまったわけです。頭からズブぬれになったドジな筆者をみて、女房が大笑いしています。女房はなぜ吹き出したのでしょうか。彼女には「自分だったらそんなヘマはしない」という優越感があるからです。その優越感が「笑い」を生んだわけです。

人を笑わすことの上手な人は、この点をよく心得ています。テレビなどにでてくるコメディアンたちは、この原則を例外なくふまえています。落語などはその典型です。いつも笑われるのはドジでマヌケな「クマさん」「ハッつぁん」です。「自分は、あんなマヌケなことはしない。あんなおっちょこちょいはしない」というような優越感を与えることが笑いのポイントだ、ということをここで明らかにしておきます。「笑い」が、こころよいのは、緊張から解放されるからでしょう。そして、私たちの心に余裕を与えてくれるからだと思います。逆にいえば、緊張した心理状態とか余裕のない人には「笑い」はないということです。

人との対話は、テニスのロング打法に似ています。相手とのラリーをできるだけスムーズに持続させるのがポイントだからです。言葉を仲介にして、お互いの心を通じ合うようにすることが大切です。会話のラリーをスムーズに持続させるコツ、それが「ユーモア」です。相手に、こころよい「笑い」を与えるのが会話のヒケツなのです。それともう一つは、相手の興味を抱いている話題を持ち出すことです。自分の好きな話題にふれられれば、相手はくつろいだ気分になります。そして、しばらくは相手の興味の周辺で話題がはずみます。

これは、テニスでいうサーブです。わざと打ちやすいサーブをして、相手にちゃんと打ち返してもらうのです。会話の合い間に、ユーモアという弛緩《しかん》を入れるのが会話ラリーのコツだと思います。

◯「他人の利益をも考える」習慣

筆者は講演の仕事でよく地方へ飛びます。そして、飛行機の窓から地上の夜景を見ていると、いつも感じることがあるのです。

「地上には多くの人間が蟻のように、はいつくばって生きているんだな……」ということです。地上には住んでいる人間同士がささいなことで争い、傷つきあっている姿を、想像してしまうのです。「人間は本当に了見が狭いんだな」などと心の中でつぶやきます。上空から下界を眺めていると、いつもそういう心境になります。自分が一回り大きくなったような気持ちになるのです。

そんな気持ちを乗せた飛行機が空港に着陸します。そこで筆者は〝地上の人〟となります。すると、どうでしょう。先ほど上空で考えていた高邁《こうまい》さが一瞬のうちに消えうせてしまいます。つまり、自分もまた〝蟻〟の一員に戻って、地上の出来事に一喜一憂するのです。

話題が前に戻ります。先ほどの飛行機に乗るときのことです。空港の待合いロビーで中年女性が二人、話をしていました。誰か他の人の悪口のようです。隣席に坐っていた筆者の耳にも自然に入ってきます。「あんなに私が面倒をみてあげたのに、あの人ときたら〝ありがとう〝の言葉一つないのよ」と、くやしがっています。もう片方の女性も「そうよ、あの人はそういう人なのよ」と口をとがらせています。私たちは、なんといっても自分がいちばん可愛いものです。すべての物事が自分の思いどおりになることを望んでいます。だから、それがうまくいかないと、地団駄《じだんだ》ふんでくやしがったりするわけです。

でも、本当はそうではないと思います。自分だけの利益を考えていたのでは、物事はうまく運ばないはずです。一見うまくいっているようですが、それは一時的です。あなたの周囲を見回してみてください。証拠はたくさんあるはずです。

自分だけの利益を考えて、しこたま儲けたお金がいつの間にか、すっかりなくなってしまった人。また、お金や財産は残ったけど、晩年は難病で苦しんだりして不幸な人生に終わってしまう人……。自己中心に生きてきた人の結末は必ずそうなっているから、無気味です。

いくら真面目に働いても、芽が出ないこともあります。他人のことを考えて行動してあげたのに、それが報われないこともあります。しかし、長い目で見ると、世間はちゃんと評価してくれます。

自分自身の行動はそれなりに採点されます。世間の目は本当に厳しいと思います。世間の目を信じつつ、「他人の利益」をも考え生きていきたいものです。

◎「相手の長所をほめる」習慣

「賞讃《しょうさん》、実にこれほど麗《うるわ》しいものはない。恋も事業も芸術も、あらゆる美徳も、つまりは此《こ》の麗しい声を聞かんが為めに生きている」（永井荷風『歓楽』）――。

永井荷風の一説にもありますように、人間は誰でも、他人にほめられると嬉しくなるものです。こうした「嬉し感情」というのは一体どういうことなのでしょうか。心理学の研究をしている筆者の知人の話を引用してご説明します。彼は、この「嬉し感情」は二つに分けられる、といっています。

一つは「自己確認の賞讃」だといいます。これは、すでに自分でも認めている自分の長所をほめられた場合のことです。

たとえば、背がスラリと高くてカッコイイとか、ハンサムだとか美人だとか、愛想がいいとか……といったようなこと。つまり、これまでもいろいろな人にいわれてきていて、自分でもそのことを承知している長所です。

もう一つの「嬉し感情」は「自己拡大の賞讃」です。これは、自分自身では、まったく気がついていない点を他人からほめられた場合です。

たとえば、手の仕草がとてもカワイイとか、笑い声がセクシーだとか、目つきがとても優しいとか、うなじが色っぽいとか……といったようなことです。

「自己確認の賞讃」と「自己拡大の賞讃」とを比べると、「自己拡大の賞讃」の方が喜びは大きいとされています。特に女性の場合が顕著だそうです。

つまり、女性は毎日毎日、鏡を見て自分をたしかめながら生きています。だから、自分自身の顔や身体《からだ》のことは誰よりもいちばんよく知っています。たとえば美人の場合、そんな自分に向かって顔のことをほめる人がいたとしても先刻承知のことなので、喜びはさほどではありません。

ところが、「キミのうなじはとてもセクシーだ。見ているだけでドキドキしちゃうよ」などと自分の気づいていない新たな点をほめられたら、ハッとします。ほめられた女性はきっと、有頂天になるはずです。その「美点」によって「自己の存在」が拡大されたわけですから、気分をよくするのは当然です。男性の場合では、自分の気づいていない仕事上の長所をほめられるとヤル気がでてくるはずです。

「キミは気が利くな。きのうA社の部長に電話を入れといてくれたそうじゃないか。おかげで助かったよ。キミの長所はなんといっても、その手回しの良さだよ。最高だよ」などとほめます。ほめられたほうも、お世辞だとはわかっていても、自分の気配りの良さを新たに「発見」して嬉しくなるものです。本人が気づいていない点をほめるのが、ポイントだと思います。

◯「先手《せんて》をうって挨拶する」習慣

顔だけ知っている程度、それほど親しくはないという人が、あちらから歩いてきます。だんだんと、あなたに近づいてきます。

さて、そこであなたに質問です。あなたは、前方から歩いてきたその人に「こんにちは！」などの挨拶をなさいますか？「挨拶」の「挨」の字は、「心を開く」という意味だそうです。「拶」の意味は「近づく」です。つまり、「自分の方から心を開いて相手に近づく」というのが「挨拶」の本来の意味なのです。

ところが私たちは、自分の方から先手《せんて》をうって相手に声をかけるということは、あまりしません。特に日本人はその傾向が強いといわれています。知らない人にこちらから「こんにちは！」などときさくに声をかけたりしない、というのです。あなたはいかがでしょうか……。

こちらから先手をうって「こんにちは！」と明るく挨拶すれば、親しくなかった相手でも必ず「こんにちは！」と返してくるはずです。

もちろん、職場などでいつも顔を合わせている同僚にもひと声かけます。相手が喜びそうな言葉を添えれば最高です。たとえば、あなたが男性だったら、部下のＯＬに「おはよう！　今日の服カワイイよ！」。この程度の言葉でいいと思います。

その明るいひと声がポイントです。ほめられて怒る人はいません。そのＯＬはあなたに好感をもち、仕事での良き協力者となってくれるはずです。

筆者は、講演の仕事でよく地方へ旅行します。ある日、一人で居酒屋に入ったときのことです。

「この席、お邪魔してよろしいでしょうか？」と、隣席の先客に筆者が挨拶します。相手は、「どうぞ、どうぞ」と手招きしてくれます。

席に着くと、筆者は「失礼ですが、地元の方ですか？」とほほえみかけます。やがて、初対面とは思えないほどの会話がはずみます……。

たまたまその相手が、ある会社の教育担当の人でした。居酒屋の隣席同士の縁で後日、筆者はその会社の社員研修の講師をつとめました。さらにその後、その会社の嘱託として契約しました。たったひと声かけただけなのに、縁というものは不思議なものです。

こちらから心を開いて近づいていけば、相手も近づいてくる。このような成功体験を何度か積むと、自分の行動に自信がついてきます。積極性もでてきます。

外国人がよく「日本人はきさくさに欠ける」といっていますが、うなずけます。

先手をうって、こちらからきさくに声をかけましょう。「先手の挨拶」を習慣化しましょう。きっと、思ってもみなかったラッキーな出来事が舞い込んでくるはずです。

◎「礼儀正しくする」習慣

「人間の誠意は、下《さ》げる頭の時間と正比例する」（夏目漱石『虞美人草』）――。

この漱石の言葉から学ぶ点があります。「他人に頭を下げるのはテレくさくて、どうもうまくできない」という人が少なくありません。そういう人は、次のような実験をしてみるといいと思います。

まず、自分の全身が映る大きな鏡の前に立ちます。そうしてニッコリとほほえみながら、深々とおじぎをします。顔をあげたときは、もちろんキープ・スマイルです。そうした動作をしている自分を鏡で見てください。とても上品です。我ながら好感をもつはずです。

それでは、次の実験です。今度は、ニコリともしないでイヤイヤ頭を下げてみます。ぞんざいな気持ちで、ちょこんとおじぎをしてみるのです。その姿を鏡で見てください。自分のかっこうがいかに不快な印象を与えているかが、ハッキリとわかります。「なんて態度が悪いんだろう」とイヤ気がさします。自分ですら自分の姿が不快なのですから、他人が見たらもっと感じが悪いに決まっています。

〝おじぎ〟といえども、バカにできません。学校の成績もよく、才能もあるのにウダツのあがらない人がいます。こういう人はたいてい言葉づかいもぞんざいで、礼儀正しくない人です。

人間の値打ちを学校の成績や仕事の能力だけで決めるのは、間違いだと思います。その人からにじみでる態度、その人に漂っている〝空気〟がポイントです。そこその地位についたからといくら偉ぶっていても、その人の態度の良し悪しがキメ手となります。立派な才能をもっていても、その人の言葉、態度に親切さがなければ人はついてきません。

その人はいつも暗いことばかり考えています。

その人はいつも陰気で、暗い顔をしています。

その人はいつもブツブツ、不平をいっています。

その人はいつも他人の悪口をいっています。

その人は他人のヒミツをあちこちにしゃべり歩きます。

その人が部屋に入ってくるだけで

部屋の空気が陰気になってしまいます。

あなたはどうですか――。

あなたも、その人みたいだったら改めなさい。そうでないと、あなたも不幸になってしまうから……。

◯「小さな縁をも大切にする」習慣

小才は縁に出あっても縁に気づかず
中才は縁に気づいても縁を生かさず
大才は袖すりあった縁をも生かす――。

これは、柳生流の元祖・柳生石舟斎の言葉です。剣の達人というばかりではなく、人間学にも達していた石舟斎の含蓄《がんちく》がうかがえます。

この柳生家の家訓の意味は解説するまでもないと思います。「袖すりあったほどの小さな出会いをも生かせ」と説いているのです。「人脈」こそは何よりの財産であることを、強調しているわけです。

よく、「金の切れ目は縁の切れ目」などという言葉を耳にします。これは、お金だけを目あてにして付き合っている人たちのセリフだと思います。

もちろん、お金は貴重な財産です。しかしこの世は、お金では買うことのできない人間の「価値」があると思います。人間の「価値」が、お金だけで決められるのだったら、預金通帳の残高順ということになります。そんなバカなことはあり得ません。お金がすべてではないということは、誰でも承知しています。それでは、人間の「価値」とはいったい何で決められるのでしょうか。

人間の価値とは、その人の「人格」だと思います。見方によっては、その人の人格はお金以上の価値を生み出します。その「人格」に人が集まり、お金さえも集まってくるからです。その人についていけば間違いない、と信じさせる人間的魅力こそが「価値」だと思います。

「蟹《かに》は自分の甲羅《こうら》に似せて穴を掘る」といわれています。人間の場合も、自分が掘りあげた穴の大きさがその人の「器《うつわ》」の大きさだと思います。

「器」の大きい人は、例外なく謙虚です。論語（述而第七）に出てくる孔子の言葉を知っていて、それを実践しているかのように謙虚なのです。

「三人行けば必ず我が師あり」――。と孔子は説いています。三人連れで旅をすると〝我以外皆師〟ということがよくわかる、といっているわけです。道連れの二人から教えられることがあまりにも多いからでしょう。

人生の行路において自分の師と仰ぐ人は至る所にいます。それに気づかないでいるから、自分には師はいないと思っているわけです。孔子は「どんな人間にも、それぞれの天分がある」という人間の尊厳を説いています。「心を謙虚にして周囲の言葉に耳を傾けよ。袖すりあったほどの小さな縁をも大切にせよ」――と私たちに説いているのです。

◎「言葉づかいに気をつける」習慣

「言葉には消しゴムがきかない」という格言があります。〝言葉にはくれぐれも気をつけなさい〟という教訓です。

そういわれてみると、私たちのふだんの生活で思い当たることがたくさんあります。たとえば、いってはいけないことをいって、相手を怒らせてしまう。相手の怒った顔を見て、はじめてハッと気づくわけです。

そのとき、「いまの言葉は取り消す」などと言い訳しても、もうあとのまつりです。言葉には消しゴムが効かないのです。相手がアタマにきてカッカと興奮しているときなど、ヘタな言い訳をするとさらに相手を怒らせてしまいます。

新聞やテレビのニュースで毎日、血なまぐさい事件が報道されています。子どもが自分の親を金属バットで殴り殺してしまった……。スナックバーで酒を飲んでいた客同士がケンカして包丁で相手を刺し殺してしまった……とか、これらの事件をよく観察してみると、すべて言葉が原因です。

「アタマにくることを相手がいった。だから、ついカッとなってやってしまった……」というのが現実です。言葉が〝人を刺す凶器〟になってしまったわけです。

三木清が書いた『人生論ノート』に、次の一文が載っています。
「人は軽蔑《けいべつ》されたと感じたとき、最もよく怒る」――。人間は、自我や自尊心を傷つけられたとき、怒りを爆発させるというわけです。

しかしおとなの場合は、そうやたらに怒りを表面に出さないものです。アタマにきていても、ジッとこらえているのです。それなのに、「これでもか、これでもか」と、相手の気にさわる言葉をぶつけてしまっては、もはや手の施しようがありません。相手はこらえにこらえていただけに、いったん爆発したら、もう大変です。ついには殺人という、最悪な形で大爆発することだってあり得ます。

相手が興奮状態のときは、その原因を探ったり対応策を助言したりするのは後回《あとまわ》しにした方がいいようです。それよりも、とりあえず相手の言い分を全部きいてあげるのがいい方法だと思います。たとえば、上役に怒鳴られたばかりでカッカと興奮している若い社員がいたとします。その青年に、「なるほど、それでアタマにきたのか。うん、それで書類をたたきつけてきた……キミだって精いっぱいやってるのになあ」と同調していくと、相手の言葉も底をついて気が静まってきます。無精なやり方のようですが、これが最良の沈静方法だと思います。いずれにしても、言葉は〝諸刃の剣〟だということを肝に銘じておきたいものです。

◯「人にはギブ&ギブの"与え切り"にする」習慣

「人間はね、自分が困らない程度内で、成る可《なべ》く人に親切がして見たいものだ」――という一節が、夏目漱石の『三四郎』にでてきます。「人に親切にする」ことによって自分が大きくなるのだ、といっているのでしょう。そのとおりだと思います。

それなのに、他人の悪口をいったり、他人の心にナイフを突き刺すような皮肉をあびせたりする人がいます。

また、他人の欠点をひやかして恥をかかせて喜んでいる人もいます。人を悪くいうことによって自分を偉くみせようとしている人も、少なくありません。

「人間には、他人のしあわせを喜ぶ気持ちがあると共に場合によっては、他人の不幸を喜ぶという一面がある。人間とは、そうした矛盾の上に生きている者らしい」（尾崎一雄『坂道』）――。

この一節にもあるように、人間には冷酷な一面があります。人が失敗するのを、心の中で喜んだりすることがあります。逆に、自分のライバルが成功したりすると、嫉妬したり恨んだりもします。

しかし、これをなんとかしないと、進歩発展は望めません。自分が明るくなりたいのなら、他人の明るいところを見なければなりません。そして、朗らかな気持ちで人をほめたいものです。人の欠点を暴き出すほど、自分は優れていると思っている人がいます。しかし、それは錯覚です。まるっきり反対です。

人の悪口を聞いている相手の人は、そのときは調子を合わせているかもしれません。けれども、本当は違うのです。他人の悪口をいっているその人の心情の下劣さにあきれているのです。「人を落とす者は自分も落とされる」――といったところでしょうか。

人には親切にしたいものです。しかし「人に親切にしておけば、自分が困ったときに助けてもらえる」という気持ちでする親切はちょっと考えものです。〝困るときがくるかもしれない〟と予想することは〝困るとき〟を引き寄せてしまいがちです。それが「因果の法則」だからです。

与えるときには「与え切り」にすべきだと思います。お金に余裕のある人は、お金や物を与えるのもよいと思います。しかし、与えることは必ずしもお金や物だけとは限りません。ぬぎ散らかっている他人の靴をキチンと直しておいてあげるのも、親切です。「落ち目になって構い手のなきとき、信をつくす。これがまことの人の親切」――という古人の教えがあります。苦しんでいる人に親切な言葉をかけて力づけてあげる。これなどは、すばらしい親切だと思います。仏教でいう「愛語施」でしょう。「人に与えて自分が大きくなる」のです。このことを肝に銘じておきたいものです。

◎「他人の悪口を言わない」習慣

「ゴシップ本能は、人間の必要な本能の一つである。人間が二人集まれば、会話の三分の二まで人の噂《うわさ》である」――これは、菊池寛の作品『ゴシップ』に出てくる一節です。大正十三年に書かれたものですが、そのまま現代人にもあてはまる言葉だと思います。

人間は、他人のうわさが好きです。筆者は広告宣伝の仕事に長年携わってきましたので、この「うわさ好き心理」を上手に利用したことがあります。いわゆる「口こみ作戦」です。人の口から口へと、うわさがどんどん広がっていくようにする手法です。

団地の主婦やオピニオンリーダーを対象とした場合には、特に効果的でした。「口こみ作戦」を成功させるコツがあります。それは、次のような言葉を必ず付け加えることです。

「これは内緒にしておいてください。他の人には教えないでください」――。

どんどん宣伝してもらいたいのに、「内緒に」ともちかけるのは逆です。しかし、この方が「口こみ」効果があがるのです。人間は「内緒」だとか「ヒミツ」とクギをさされた話ほど、誰かに口外したいという心理が働くのです。

「きのうの夜、大変なところを見ちゃったのよ。うちの課長がさ、若い女性と親密そうに歩いているところを私、偶然、見ちゃったの」……とくれば、聞き手の方は「えっ！ホント!?それからどうしたの？」と目を輝かせます。絶好のうわさ話なのです。「でも、これ絶対に内緒よ。他の人に口外しないでね」と念を押されれば、聞き手の方は、もうそのことを誰かに口外したくてムズムズです。

ヒミツごとの伝播力はすさまじいものがあります。ですから、いったん他人に打ち明けたヒミツはそのときからもうヒミツではなくなる、と考えた方がよさそうです。

……団地の一角で、奥さんたちがうわさ話に夢中です。しだいに、誰かさんの悪口へとエスカレートしています。悪口というものは、あとでわかったとき、しゃべった人は当事者に憎まれます。ここで心得ておかなくてはならないことがあります。

その悪口に相槌を打った人も当事者に憎まれる、ということです。悪口に同調したということは、自分が言い出したのと同じような結果になってしまうのです。ですから、うわさ話をしているとき、第三者の悪口に及んだらできるだけ沈黙を守ります。あるいは、話題を変えるように仕向けます。

場合によっては、その場から離れたほうがいいと思います。いずれにしても、他人の悪口をいうのはマイナス思考です。プラス思考人間は、人のヒミツをあばいたり悪口をいったりはしません。

◯「先手《せんて》、先手と働きかけていく」習慣

「あなたに対して、国が何をしてくれるかを期待するな。それよりも、国に対してあなたは何ができるかをよく考えてほしい」――これは、名大統領として人気の高かったジョン・F・ケネディの演説の一節です。

積極性と行動力の大切さをアメリカ国民に訴えた名言として有名です。

この言葉は「自分が相手のためにしてあげられることは何かをよく考えてみてほしい」という意味でもあります。キリストの説《と》く「なんじの欲するところを人に施せ」です。相手の身になって考える習慣。そして、たとえささいなことでも、その考えを行動に移す。この二点は、とても重要なことだと思います。

それと、もう一つ大事なのは、積極力です。消極的な人が積極力をつけるヒケツは「先《せん》手《て》をうつ」ことだと思います。消極的な人は「先手必勝」がニガ手だからです。

人と話をするときでもまず、結論から先に切りだすように心掛けるといいと思います。テーブル・スピーチや会議の席などでも、冒頭で結論を述べられると、その人の話に思わず引き込まれるものです。

たとえば、あなたが社長に仕事の結果報告をするとしましょう。残念ながら、報告内容

は好結果のものではありません。いいづらい話なのです。

あなたが消極的で弱気なタイプなら「実は……」と、言い訳の前置きから切りだすのではないでしょうか。うまく言い訳をしようとして、あれこれ考えすぎて話がトギレトギレです。

あなたの弁解内容はいちおうスジが通っています。しかし、その言い訳はあくまでも社長に対しての防壁です。つまり「逃げ」の姿勢なのです。そんなあなたの態度を見せつけられた社長は、どう感じるでしょうか。

「だから、どうなったのかね!? 言い訳ばかり並べているけど、結果はどうなのかね!? 早く結果をいいなさい、早く結果を！」と、社長は怒鳴りだすことでしょう。

こうなると、弱気な人は首をうなだれてしまいます。社長の方は「やっぱり彼はダメだ。彼は使える人間ではないな」と、あなたの評価は一段とさがってしまいます。

だから積極力を身につけるには、まず結論から先に切りだすのがポイントです。そうして、相手の機先を制すのです。

つまり、相手に向けてまずこちらから先にボールを投げてみるのです。相手の方は当然のことながら、そのボールを「どうして、そうなったのかね」と投げ返してきます。

何事においても「先手、先手と働きかけていく」習慣が大切です。

◎「しゃべりすぎないで聴き上手に回る」習慣

過日、地方へ講演に行った折、講演が終わると同時に一人の青年が筆者に近づいてきました。相談したいことがある、というのです。彼の相談は「私は口べたでいつも損をしている。〝話し方教室〟みたいなところへ通《かよ》ってしゃべり方の勉強をした方がよいか？」という質問内容でした。

そこで、筆者は次のように答えました。

「おしゃべりな人とおしゃべりな人が、二人で話をしたらどうなると思いますか？　おしゃべりな人は自分の話に夢中で、相手の話をちゃんと聴かないものです。だから、おしゃべり同士が話をすると、お互いに相手のことが気に入らないのです。自分の話をちっとも聴いてくれないのだから、不愉快になるのは当然です……。

それだけに、自分の話をうなずきながら熱心に聴いてくれる人に会うと、嬉しくなります。おしゃべりな人に限らず、人は誰でも自分の話をよく聴いてくれる人に好感をもつものです。だから、口べたでも心配ないです。相手の話を、ちゃんと聴いてあげればいいのですから」……。

筆者はこうアドバイスしてあげたのですが、青年はまだよく理解できていないような顔つきです。彼は何かいおうとしていたようですが、言葉が出てきません。どうやら、天性の口べたのようです。

そこで、「口べたを直すために一時的な勉強をしても、効果は期待できないかもしれませんよ」と前置きしてアドバイスを続けました。

「その口べたという〝マイナス〟を逆利用して〝プラス〟にすればいい。この〝プラスの方向〟というのが実は〝聴き上手〟のことなのです」と筆者。

〝聴き上手〟の方が彼にとってはやさしいことだし、これなら将来もずっとやれるわけです。

ところで、よく「口べた」とか「話し上手」とかいいますが、どこに基準をおいたらいいのでしょうか。言葉を連発するのを話し上手というのでしょうか。あるいは、立板に水といった流暢《りゅうちょう》な話しぶりを話し上手というのでしょうか。

たとえば、説得を目的とした場合のことを考えてみましょう。どんなにペラペラとしゃべりまくっても、相手を説得できなければ話し上手とはいえません。セールスの場合だったら、いくら流暢なセールストークを並べても相手が商品を買ってくれなければ、話になりません。話の上手、下手というのは、目的が達成できたかどうかで決まります。どんな場合でも、必ずしも「能弁型」がいいとは限りません。むしろ、「聴き上手型」の方が好感をもたれるのではないでしょうか。

第Ⅴ章　「能率よく仕事をこなす」習慣

これまでにも
いろいろな困難を
乗り越えてきた自分さ
いま直面しているくらいの
困難は

平気で
乗り越えられるさ
実をいうと私には
すごい底ぢからが
あるんだから

阿奈靖雄 ©

◯「〝はじめてのこと〟を怖がらない」習慣

西堀栄三郎氏が書かれた『石橋を叩けば渡れない』(日本生産性本部刊)という本があります。昭和四十七年九月に初版が出版されて以来、依然としてロングセラーを続けている名著です。永遠のベストセラーといえそうです。

筆者も初版を購入。それからずっと、座右の書として大切にしています。壁にぶちあったとき、この本を再読すると必ず道が開けるから不思議です。創造性と勇気を与えてくれる本です。

著者の西堀氏は、日本初の南極観測隊の隊長を務めた人です。一三〇人の隊員とともに第一次南極越冬の偉業を果たしたことは有名です。

当時(昭和三十一年)、南極は未踏の地であり、まったく未知の世界でした。その「一寸《いっすん》先《さき》は闇《やみ》」の世界に行って越冬しようというのですから、ただごとではありません。すべての行動は予測からのスタートです。「一寸先は闇」の世界を予測して準備。そして、観測船の宗谷に乗って日本を出発したわけです。

西堀隊長は日本に帰ってきて、いろんな人から質問されたそうです。いちばん多かった質問は「越冬中、何が怖かったか?」でした。西堀隊長は「〝未知〟がいちばん怖かった」

と答えています。明日は、どのくらいの嵐がやってくるのか？　寒さはどれくらいか？……など、すべてのことに見当がつきません。

しかし「南極で暮らして一年たつと、全部といってもいいくらいいろんなことがわかってきた」と語っています。嵐になると暖かくなる、屋根の上に雪は積もらない……などがだんだんわかってきたのです。それらのことがわからないうちは、すべてに用心しなければなりません。

西堀隊長の話の中で注目すべき点があります。次のひと言です。「物事《ものごと》をやる時、〝最初〟と〝第二回目〟では天地の違いがある。しかし、第二回目と第三回目ではほとんど違いはない」。つまり〝はじめて〟のときの試練の大切さを強調されているわけです。

その証拠に、第一回目の越冬隊の隊員たちは家族と泣きの涙で別れて出発したのです。生きて帰って来られるのかさえもわからなかった。また、みんな死んでしまって死骸も帰らないかもしれなかったからです。それほど〝未知〟だったのです。

ところが、第二回目以降の隊員たちは、〝未知〟の不安はありません。ちょっとした海外旅行に出かける気分で家族に見送ってもらったといいます。

私たちが何か新しいことを始めようとするとき、未知への恐怖と不安がつきものです。しかし、それを乗り越えて行動する勇気が大切です。その勇気がないと、いつまでたっても自分の願望は達成できません。

◎「"緊急かつ重要な用件"から片づけていく」習慣

「遊びをせんとや生まれけん、戯《たわぶ》れせんとや生まれけん、遊ぶ子どもの声聞けば、我が身さへこそ動《ゆる》がるれ」――。

この歌は、平安時代末の『梁塵秘抄』（後白河院撰）の中の珠玉の名歌といわれています。

「遊びをしようとして、自分はこの世に生まれてきたのだろうか。戯《たわむ》れをしようとして、この世に生まれてきたのだろうか。無心で遊んでいる子どもたちの声をきくと、つい自分も遊びたくなってしまう」……という意味の歌だと思います。

「遊びたい気持ち」は、昔の人もいまの人もまったく同じなのだ、ということをつくづくと感じさせられる歌です。

正直いって、仕事とか勉強はそれほど楽しいものではありません。遊んでいる方が楽《らく》です。ほとんどの人がそうだと思います。しかし、つまらないからといって、勉強や仕事をしないわけにはいきません。勉強や仕事をもっと楽しい気分で能率的にこなす方法はないものでしょうか。

ここに一つの方法があります。「仕事」を例にして考えてみます。

まず、いま手をつけようとしている仕事を終えたときのことを想像します。この困難な仕事が片づいたら「ハワイでゴルフを楽しもう」とか「休暇をとって家族旅行しよう」とかの楽しい〝ごほうび〟を用意しておくのです。

〝ごほうび〟を何にするかは、人によっていろいろでしょう。でも、〝ごほうび〟は現実性のあるものでないといけません。こうした楽しい〝ごほうび〟が待っていれば、誰でもできるだけ早くそこへたどりつきたいと考えるはずです。そして、どうしたら能率的に事が運ぶかをいろいろと工夫します。

そこで、仕事をより能率的に処理するためのポイントを考えてみましょう。

まず、「雑用」と「大事な用事」とを区別することです。そして、優先順位をつけてから仕事にとりかかるのです。

イザ仕事を始めようとしても、コピーをとったり電話を入れたりなど、本来の仕事以外の雑用にけっこう時間がとられてしまうものです。こういう雑用に振り回されていては、能率があがりません。

「緊急かつ重要な用事」を最優先して、その順番に従って行動します。実に簡単なことです。これをするだけで、仕事の能率は数倍違ってきます。私たちは、「どうでもいい雑用」に振り回されすぎているのです。

◎「筆マメ・口マメ・足マメ」の習慣

筆者の友人だった故・養田実さんは、ジュポン化粧品本舗など数社の会社を経営されている社長さんでした。

豊富な人生体験に裏打ちされた包容力が魅力の人でした。円満な人格と併せて、すばらしい感性の持ち主でもありました。

事業の快進撃ぶりをみても、養田さんのたしかな采配《さいはい》ぶりが窺《うかが》えます。

養田さんは、セールスマン研修や講演に引っぱりダコで超多忙でした。自転車一台からスタートし今日を築いた〝裸の体験談〟が、聴く人の心をうったのでしょう。

養田さんの人気のヒミツはたくさんありました。筆者はその中の一つを知っています。とても大切なことです。

それは「三マメ主義」です。「お客さまの心をシッカリとつかむには、なんといっても〝マメ〟であることです」と、養田さんはきっぱりいい切っていました。

「三マメ主義」のいちばん目は〝筆マメ〟です。商品をお買上げいただいたお客さまには一週間以内に必ず御礼の挨拶状を出す。これを〝筆マメ〟といっていました。〝一週間以内に必ず〟というところがポイントです。即実行を徹底していたわけです。簡単にできそうですが、実際はなかなか続かないものです。それだけに、「即座に実行する習慣」を大切にしていたのでしょう。

「三マメ主義」の二番目は〝口マメ〟です。お買上げ一週間以内に挨拶状を出しましたが、今度は一週間後のことです。お客さまに電話でフォローします。

「先日お買上げの商品（商品名を告げる）はいかがでしたでしょうか。何かご不満の点はございませんか？」とお伺いします。

「三マメ主義」の三番目は〝足マメ〟です。今度は、お客さまのお宅や勤務先に直接、足を運びます。「ご近所まで来ましたので、ちょっと寄らせていただきました」とご挨拶。「特にこの〝足マメ〟はマメに顔を出すこと。そこが重要ポイントです」と養田さん。

「筆マメ・口マメ・足マメ」――この三マメ主義を根気よくマメに実行すること。これが誠意として伝わり、お客さまの心をシッカリとつかみます。

先ほども強調しておきましたが、やれそうでやれないのが〝筆マメ〟です。書く気はあっても、実際に筆（ペン）をもって書かなければ話になりません。

養田さんの体験を引用しての商売の話が中心でした。だから「三マメ」の相手は〝お客さま〟でした。でも、これは商売だけとは限りません。あなたの場合だったら〝お世話になった人〟におきかえて「三マメ主義」を実行したいものです。

●「答が見つからないとき、いったん、その問題から離れてみる」習慣

「人間はどう教育したって不完全なものである」——と、夏目漱石が「文芸と道徳」の中で述べています。そのとおりだと思います。パーフェクトの人は存在しないわけです。

長年の修行を重ねてきた禅僧でさえも、座禅を組んでいるときいろいろな雑念が浮かんでくるといいます。とても無念無想の境地に達することができない、と語っています。

そこで、ある高僧は手帳を持参して座禅に入ります。座禅を組んでいて、いろいろと雑念が浮かんできたら、その場でメモするためです。そのつど書き出してしまうともう、その雑念にとらわれることなく座禅に集中できるというわけです。

こうして紙に書きとめておくと大きなメリットがあります。そのことについて、少しふれてみます。

私たちは時々、難関にぶつかります。そして、いくら考えても解決策が出てこないこともしばしばです。そこで、じゅうぶん考えぬいても解決策が見つからないようなとき、そういうときはいったん、その問題から離れてみます。

ただし、その問題の要点はバッチリと手帳に記しておきます。このようにして、問題点を潜在意識にシッカリと刻み込んでおくわけです。そうしておくと、不思議なことがおこ

ります。まったく思ってもいなかった解決策があとで浮かんでくるのです。

こうした解決法は、自分が少しも努力をしないで答を得ようとしているかに見えます。しかし、そうではありません。人類に与えられた万能の力である潜在意識のなせるわざなのです。

大脳生理学の世界的権威だった東大の時実《ときざね》利彦教授は、次のように明言されています。

「人間の記憶力というのは、なまじ中途半端な解答を出すと、それが正解だと錯覚してしまう。そして、その問題をすっかり忘れてしまうものだ」……。

さらに、教授は「私たちが難問にぶつかったとき、その場しのぎの中途半端な解答を出しておくのはよくない」と指摘されています。

なぜかというと、「いちおう、答を出した」という気になってしまうからだといいます。ややもすると、それが「解決策」であるかのように錯覚してしまう。そうなると、潜在意識には刻み込まれないわけです。潜在意識に刻み込まれていないと、問題解決のヒントが目の前にぶらさがっていても反応しなくなってしまいます。

だから、難問に行き詰まったら、まず問題点をシッカリと紙に書きとめる。そして、その問題からいったん離れて、別の仕事をしてみる。そうすると、潜在意識の力によって、あとですばらしい解決策が導き出されてくる、というわけです。

◎「〝すきま時間〟を活用する」習慣

「自分で勝手な用事を手に負《お》えぬ程製造して、苦しい苦しいと云うのは自分で火をかんかんに起して暑い暑いという様なものだ」――。

これは、夏目漱石の代表作『吾輩は猫である』に出てくる一文です。自分の多忙さを実際以上に誇張したがる当時の文明人を諷刺《ふうし》したものでしょう。

私たちも「忙しぶっている」ところがあるようです。それは、大して重要でない雑用に振り回されているのが原因だともいえます。それとももう一つ、ムダな時間を消費していることだと思います。

私たちは、大金の入ったサイフをなくしたりすれば〝損をした〟ことがすぐにわかります。しかし、一日の生活の中で「時間をムダにした」ことには無頓着です。なんとはなしに過ごしている時間を見直してみる必要があると思います。ムダに過ごしていた時間を有効に使うようにすれば、かなりの「儲け」になるわけです。

私たちの一日の生活の中には、大した意味のない〝すきま時間〟がけっこう散らばっているものです。

たとえば、通勤電車の中。会社に到着して自分のデスクに坐ったとき。昼休みの食事が終わって仕事が始まるまでの間……などは〝すきま時間〟です。

誰かを訪問して待たされている数十分。これなどは〝すきま時間〟の代表格といえます。大して意味のない雑談もそうです。

このように「なんとなく過ごしてしまっている時間」が、一日の中に大量にばらまかれているわけです。

五分とか十分とかコマ切れの時間なので、大した量には見えません。しかし、自分の一日の行動を見直してみてください。あっと驚くほどたくさんの〝すきま時間〟があることに気づくはずです。そして、そのほとんどが無意味に過ごされていることを自覚することでしょう。

このコマ切れ時間をできるだけ積極的に有効に活用していけば、仕事の能率はグンとアップするはずです。

そして、休日は仕事のことはサッパリと忘れて思う存分リフレッシュします。すきま時間を活用するためには、ふだんから「コマ切れ時間でやるべきこと」のメモを記しておけばいいと思います。

たとえば十分ほどのコマ切れ時間ができたとします。そこで、サッとメモを見ます。そしてメモに書かれている「○○さんにTEL」を即実行するといったような具合です。

ます。

◎「重要な仕事は〝自分のベストタイム〟で処理する」習慣

「人間の頭脳の働きが最も ピークになるのは、午前十時と午後の三時だ」という説があります。

しかし、筆者は必ずしもそうだとは思っていません。人によって、それぞれ違うはずだからです。たとえば筆者の場合、出張講演のない日は朝の五時からデスクワークをしています。朝の五時から八時くらいがベストなのです。気分がいちばん集中する時間帯といえます。

人によっては、それが昼すぎだったり、夕方の五時からだったりします。また、夜の仕事に従事している人なら、深夜の十二時が目もアタマもいちばんハッキリしているかもしれません。

ですから、十時とか三時がベストという説は、一般的なサラリーマンや学生を対象にしてのことだと思います。彼らの起床時間(朝の七時とか八時)から導き出されたものでしょう。

たしかに、一日のうちで頭脳の働きが活発になる時間帯と、そうでない時間帯とがあると思います。しかし、それは人によってさまざまであることは、前述したとおりです。

ここで筆者が強調したいのは、「自分のベストタイムはどこにあるのか」をシッカリとつかんでおく必要があるということです。

谷間にある時間帯はさほど重要でない仕事、たとえば書類の整理とか電話するとかの時間にあてる。そして、自分の「ベストタイム」には最も重要な仕事をあてる。それが理想だと思います。

と同時に、自分のベストタイムは他人に邪魔されないような工夫をしておく必要があります。必ずしも、理想どおりにいくとは限りません。しかし、こうすれば、仕事の能率はいままでの数倍はアップするはずです。

物理学で「慣性《かんせい》の法則」というのがあります。「静止している物体は、他から別な力を加えない限り、ずっとそのまま静止している。動いている物体も、他から別な力を加えない限り、ずっといままでの動きを続ける」――というのが「慣性の法則」です。

私たちの仕事や勉強についても、この法則があてはまります。

「現状はよほどの苦痛でなければ変えることを敢えてし得ないものである」――これは夏目漱石の「日記」に記されていた名言ですが、慣性の法則を人間におきかえてみましょう。すると、次のようになります。

「いままでのその人の動き（行動習慣）は、他から別な力を加えない限り、その人はずっといままでと同じ動きを続ける」……。

「他からの別な力」を、本書のどこかでつかんでください。

◎「大事な用件は復唱する」習慣

ある日、社長が部下の一人を呼んで用事を頼みました。「高橋クン、この書類をコピーして、A社の佐藤常務に至急送っておいてくれ」……。

あなたが高橋さんの立場だとしたら、どうなさいますか。社長から頼まれた書類の「コピーした方」を送りますか、それとも、書類の「原本」の方を送りますか。

社長が「コピーして送れ」と命令したのですから、あなたは「コピーした方」を送ると思います。高橋さんもそうしたのです。

ところが、それが大失敗だったのです。実は、その書類はA社の佐藤常務からお借りしたものだったのです。だから社長としては、原本の方を送り返したかったわけです。しかも、その原本書類はA社の会議で必要だったのです。「至急送り返してくれ」という催促の電話が社長のところに入っていたのです。

それなのにコピーした方を送ってしまったので、A社の常務に叱られてしまったという次第です。

でも、頼まれた高橋さんにしてみれば、社長から「コピーして送れ」と命令されたのですから、そのとおり「コピーして送った」という言い分です。

「これは、A社の常務からお借りした書類だ。先方の会議で必要なので至急送り返さなければならない。だから、先方へは原本を送ってくれ。そして、コピーした方を私の机の上に置いといてくれ」――社長がこのように命令すれば、間違いは生じなかったわけです。ビジネスの場では、このような行き違いが少なくありません。「ハイわかりました」と返事して、自分なりの解釈で行動します。この場合、解釈のしかたに誤解があると、先ほどの高橋さんのように思わぬ失敗を招きます。

これは、依頼した方にも責任があります。「ハイわかりました」といって相手が立ち去ろうとするとき、「ちょっと待った」と声をかけてみるのがいいと思います。「キミ、わかったね。私がどのように頼んだかいってごらん」と確認すれば、誤解は防げます。

依頼された方の人は、依頼内容を自分で復唱します。そして、依頼した方の人は相手に復唱させます。これが依頼とか命令授受のセオリーだと思います。

「人間の行為とか思想は常に誤解されるものである。それを他人に正しく理解させるには、できるだけ反復して表現する必要がある」――これは森鷗外の言葉です。

命令は正確に、というのが鉄則です。しかし私たちは、自分の伝え方がまずかったということに意外に気づいていないようです。反復、復唱の大切さを肝に銘じたいものです。

◯「〝パッとひらめいた思いつき〟は、すぐにメモする」習慣

小事を以《も》て大事を知る
浅き位に因《よ》って深き位に入る
是《こ》れ智恵の性なり（無住一円『雑談集』）――。

この言葉の意味は解説するまでもないと思いますが、念のためにご紹介しておきます。

〝蟻《あり》の穴から堤《つつみ》も崩《くず》れる〟という諺《ことわざ》と同じような意味だと思います。ささいなことをバカにしてはいけない、という教訓です。何事も浅いところから入っていって、だんだんと奥義に到達していく。これが人間の智恵というものだ――と説《と》いているわけです。

とはいえ、私たちはどうしても、ささいなことを軽視してしまいがちです。

たとえば、ふだん何気なく思いついたこと、つまり頭にパッとひらめいたアイデアです。これなども軽視しています。せっかくひらめいたアイデアなのに、それをつかまえておこうとしないのです。

この小さな思いつきこそが大事だと思います。古今東西の発明・発見も、すべてこうした思いつきに端を発しているわけです。アイデアというものは、いつ、どこで思いつくかわかりません。そして、それがいつまでも心に残っているとは限りません。必要なときに

いつでも取り出せるものではないのです。

だから、このように「ときをかまわずに頭に浮かんでくるアイデア」は、何らかの形で保存しておく必要があります。そのためには、いつもペンと紙を身につけておくのがヒケツです。

少なくとも、ペンだけは肌身離さずもっていることです。メモ用紙がなくてもかまいません。ポケットの中をさぐれば、必ず何かあります。レシートとか名刺とかにでもメモすればいいのです。このような準備があればＯＫです。

そして、アイデアが浮かんだらすかさず書きとめておきます。書きとめたメモは、折をみて別なノートに書き移します。このノートが自分の「アイデア帳」です。

紙に書くという効用はとても重要です。全神経がそこに集中するからです。自分の考えを紙に書いているということは、自分の〝心の上〟にもそのことを書きとめているわけです。心に書きとめたわけですから、よく覚えています。きき っ放しの場合よりも、ずっと長く正確に記憶しています。

前述した「アイデア帳」はふだんからよく目を通しておいて、潜在意識に刻み込んでおきます。そうすると、いつの間にかそのアイデアが次々と実現していきます。潜在意識のなせるわざです。「パッとひらめいた思いつき」は、すぐにメモする習慣を身につけたいものです。

◎「テキパキと行動する」習慣

期限が決まっている仕事は、綿密な計画を立てて進めていかなくてはなりません。

それとは逆に、期限が比較的ゆるやかな仕事〝いつやってもいい〟といったものがあります。私たちは、この「期限なし」のものに対しては、とかくルーズになりがちです。しかし、それではいけないと思います。「いつでもできる」ものであるからこそ、厳密に行動予定を立てるべきだと思います。その姿勢が積極性を培うのに大いに役に立つからです。

このスケジュールは他人が、とやかく口をはさむ余地がないので、マイペースで進めることができます。

たとえば、「そのうち自動車運転免許を取るぞ」という目標があったとします。それをもっと具体的に規制します。「○月○日までに取る」というふうにです。

実は、筆者の娘がそうでした。初めのうちは「いずれ、取ろう」と考えていたようです。それが、どういうわけか「○月○日までに絶対に取る」という計画を立てました。

そのためにはさっそく入学申込書をもらってこよう、という気になります。自分自身が駆りたてられ、行動が積極的になるわけです。

○月○日に自動車学校へ入学。○日までに実技試験をパス。○日までに検定をパス——

という行動計画を立てて、ほぼ予定どおり、彼女は運転免許証を取得しました。

「そのうち」「いつかは」などと考えていたら、彼女の目標はいつまでたっても達成できなかったことでしょう。

何をするにしても、行動カレンダーはできるだけ具体的な方がいいと思います。いつまでに、どこで、何をするのかをハッキリと書き出します。

もちろん、行動カレンダーどおりには進まないこともあります。その場合、自分が怠けていなかったか、自分の考えが甘くなかったかなどを反省してみます。

「すべて理を先にして、事を後にする時は進みがたし」――この言葉は、元禄八年に書かれた『不玉宛去来論書』の一節です。

理屈ばかりいっていても実行が伴わなければ進歩はない、という意味です。

「いつでもできること」を侮《あなど》っていると、ずっとできないのです。たとえば、本棚の整理などという〝いつでもできる〟作業でも、先ほどの「行動カレンダー」でテキパキと片づけていく。

ずっとやれないでいたことが片づいていくと、快感があるものです。こうした快感を味わうと次々とこなしていきたくなり、知らず知らずのうちに積極性が身についてきます。

「いつでもできること」は、テキパキと片づける習慣。この習慣が大事です。

◎「問題点を書き出す」習慣

「己に真の志あれば、無志のものは自ら去る、畏《おそ》るるに足らず」――これは、吉田松陰が門下生に説いた教訓の一節です。「目標をシッカリもて。そうでないと、くだらない人物にさえ引きずり回されてしまうぞ」という意味です。

人間、誰しも「やらなくてはならない」という気持ちはあっても、目先の小事に追われて、本来の目標からそれてしまいがちです。

そういったとき、誰かが「そんなことをしている場合じゃないだろう」と忠告してくれるのならいいのです。でも、現実はそうとは限りません。自分のことは自分で管理するしか手はないのです。

ところで私たちは、問題点が生じたとき、なかなか解決策が見つからないことがあります。そういう場合はまず、問題点がどこにあるのかを具体的に捉えることだと思います。

問題点がハッキリしてくれば、それに対応する何らかの策が出てくるはずです。

問題点を明確化する一つの方法があります。それは、「紙に書き出す」ことです。紙に書き出してしまえば、問題点がイヤでもクローズアップされます。

頭の中でモヤモヤしていた霧の中から、ハッキリしたカタチで問題点が目の前にあらわれてくるわけです。こうして書き出した分についてはもう、余分に頭を使わなくていいのです。思考を解決策だけに集中します。

クイズを解くようなつもりで一つずつ問題に取り組んでいくと、どんどんと知恵が湧いてくるものです。

さて、先ほどの「目標」について、ここでもういちど考えてみましょう。

目標は常に更新されていくものです。たとえば「今日の夕食は家族でレストランに行こう」という目標も、レストランへ行って食事をしたあとはもう、その目標は消えます。

達成されるごとに次の目標に塗り替えられていくわけです。小さな目標ほど、速いスピードで片づいていきます。

先ほど「問題点を書き出して解決策を考えよう」と述べました。これと同じように、「目標」も書き出すと効果的です。日常の小事に追われて本来の目標を見失っていても、誰も忠告してくれません。そんなときハッと目を覚ましてくれるのが、標語です。自分の目標を適当な大きさの紙に書き出して、壁や机など自分の目につく所に貼っておきます。

このようにして自己管理しておかないと、いままでのパターンで、ついつい本来の目標からそれた日常生活の繰り返しに終わってしまいます。

◎「自分には厳しく、他人には温かくする」習慣

「一から十まで、これで完璧というところまで準備をしておいてから始めようというのでは、何時《いつ》までたっても何もできっこないよ」——これは、三木清が書いた『哲学的人間学』に出てくる一文です。あれこれと言い訳をして、なかなか腰をあげようとしない人を叱咤《しった》している言葉です。

事業経営者、サラリーマン、教育者、科学者、技術者……などなど、世間にはさまざまな職業の人々がいます。しかし、どの分野の人でも、次の二つのグループに分けることができます。

一つは「成功者」のグループです。もう一方は「成功しない」人たちのグループです。この両者を振り分けているものは何でしょうか？　それは「行動力」の差だと思います。成功者たちはみんな、行動が積極的です。成功していない人、つまり、いつまでたってもウダツがあがらない人は消極的です。この差は決定的だと思います。

消極派の人々は、言い訳をしてなかなか腰をあげようとしません。前述した三木清の言葉のとおりです。「まだ、これで完璧というところまで準備ができていないから……」と言い訳をして行動に移さないのです。やれない理由を並べる〝名人〟です。

たとえば、机の上に書類が山と積まれています。どこから手をつけたらいいのか、戸惑うほどです。そんなとき、積極派の人は、とにかくやれるところから手をつけ始めます。いずれにしても、全部いちどにはやり切れません。だから、まず、やれるところから一歩を踏みだすわけです。そうすると「案ずるより産むはやすく」仕事がスムーズに滑《すべ》りだして、どんどん片づいていくものです。

積極派と消極派の違いは、あらゆる行動にあらわれています。積極派の人は「即座処《そくざしょ》理《り》」を心掛けています。そして、その副産物として信頼と自信を得ます。さらに、高収入を得ています。

ちょっと失敗したりすると、すぐ言い訳をする人がいます。それは卑怯です。言い訳をいわずにすむような行動をとればいいのです。本当はそうなのですが、その人たちをあまり責め立てるのもどうかと思います。

言い訳をしたがっている人がいたら、きさくにきいてあげるべきなのです。しかし、自分だけは決して女々《めめ》しく言い訳はしないようにしたいものです。

「人の言い訳はきけ」といっていながら、もう片方では「自分では言い訳するな」という二つの考えはくい違っています。これは「自分には厳しく」「他人には温かく」という姿勢の表われです。真の積極人間とは、そのようなプラス思考をする人だと思います。

◯「後始末《あとしまつ》を大事にする」習慣

筆者のオフィスの出入口に、いつも一枚のカードが貼ってあります。カードには「ぬいだ靴はキチンと揃えておきましょう」と書いてあります。

まるで、小さな子どもたちにいって聞かせるような幼稚な標語です。たしかに、そのとおりなのです。私たちが子どもの頃から耳にタコができるほどきかされてきた言葉です。

ところが、おとなになったいまでもこんなささいなことがキチンとできていません。ぬぎっ放しにしてしまうことがあります。

「靴のぬぎ方」などと、おとなげない些事《さじ》をとりあげたかにみえますが、これには意味があります。実は、私どものオフィスでは「後始末」を大事にしているのです。その具体的な行動習慣の一つとして〝ぬいだ靴の後始末〟を徹底しているというわけです。

後始末がキチンとできる習慣を身につけておかないと、何事もスムーズに進行しないことを痛感しているからです。

たとえば「プラン（計画）」→「ドゥ（実行）」→「チェック（検討）」といった基本がいつまでたっても身につきません。

どんな仕事でも「計画」→「実行」→「検討」の流れで進んでいます。特に、実行してからの〝後始末〟が大事です。事後の検討をシッカリしてこそ、反省点がつかめるわけです。そして、改善すべき問題も明らかになってくるはずです。

よく考えてみますと、仕事というものは問題解決のプロセスのことです。ということは、問題点をハッキリさせれば、シッカリした計画が立てられるわけです。

これまで述べてきたことは、次にご紹介する萩原朔太郎の言葉に要約されます。「後悔などしても始まらない。だが、後悔のないところに成功は生まれない」――。

何か大きな失敗をして後悔します。その失敗がその人にとって深刻な場合は、そうとう落ち込んでしまいます。思いつめて、病気になってしまうこともあります。

けれども「失敗は成功の母」という素直な心が働いたら、状況は全然変わってきます。「たしかに大失敗をしでかしたけど、死ぬほどのことではない。努力すれば、なんとか乗り越えることができるはずだ。死んだつもりで一所懸命やれば、また新しい道が開けてくるものだ」というように「失敗は成功の母」と受け止める〝後始末〟が身のためです。

流れる川の水は、どんな障害物に出会っても少しも慌てません。スルリ、サラリと回り込んで自然に流れていきます。

「失敗は成功の母」に変える〝後始末〟が大事だと思います。

◎「迷ったら人にきく」習慣

「ヘタの考え休むに似たり」は、古くからの諺《ことわざ》です。

ああでもない、こうでもないと堂々めぐりをしていて結局は全然前へ進まない、という意味です。このような経験は誰にでもあります。会議などでも、いろいろな意見はでるものの、結論が出ない。時間ばかり経過して何も出てこない、というケースが意外に多いものです。

そこで、行き詰まったときの問題解決のヒケツを考えてみましょう。

行き詰まったり迷ったりしたらまず、いったんその場から離れてみます。外に出て他人の意見をきいてみるのです。その道の専門家でもいいし、異業界の人でもいいと思います。そうです、むしろ異業界の人の意見をきくのがいいでしょう。

相手は、あなたの業界のことをよく知りません。だから、あなたの説明が不充分だと細かく質問してきます。それがかえっていいのです。

あなたは、自分ではわかっていたつもりでも、改めて質問されると、大事な点が落ちていたことに気づくからです。筆者は、このような経験を何度もしてきています。自分では気がついていないネックが必ずあるものです。

「なるほど、ここに問題があったのか」と、ウィークポイントが発見できることもあります。

こうして整理ができ、堂々めぐりから抜け出せることがけっこう多いものです。

相手が専門家であろうと異業界の人であろうと、とにかく「わからないことは他人にきく」のがいちばんだと思います。

寺田寅彦の言葉に「馬鹿を重ねてきた利口と、ふつうの利口とは別のものである」――というのがあります。バカ（失敗）も人生の肥《こ》やしである、という教訓です。

失敗は誰にもあるわけですが、特にその道の先輩の失敗談は貴重です。先輩が自分の失敗談を教訓としてきかせてくれるのは、先輩が現在、立派に成功しているからです。

自分が乗り越えてきた失敗がイヤな思い出ではなく、懐かしい思い出として余裕をもって昔の失敗談を語ってくれているわけです。

先輩に教えてもらうポイントは「どのようにして失敗から抜け出したか」ということです。

「こんなに積極的に見える先輩でも、昔はずいぶんと失敗し、弱気だったんだな」――先輩も、あなたと同じような失敗をしてきているのです。そういうことがわかると、あなたの劣等感は軽減されるはずです。

先輩の失敗談をきくメリットがもう一つあります。あなたの現在の仕事のヒントがたくさん得られる、ということです。まさに一石二鳥です。

◯「〝部分〟ではなく〝全体〟を見る」習慣

埼玉県川口市に「かとうみちこ」さんという人が住んでいます。彼女はいつも笑顔をたやさず、明るく輝いています。この笑顔をふりまいて講演活動もしています。とても元気です。

ところが彼女は、無腐性壊死《むふせいえし》（骨が腐ってくる病気）という難病と闘っているのです。彼女が十六歳のとき、その難病が姿をあらわしました。爪が根元から化膿して激痛の日が続きます。歯がポロポロと、抜けてきます。髪も抜けてきました。二十歳の春は最悪の状態でした。体重は二一キロ。血圧は六〇～三〇。三〇〇〇 cc の輸血で命だけは助かりました。親に対するうらみ、そして神様までも呪《のろ》う孤独な闘病生活が続きました。

そんなある日、彼女の運命が変わります。それは城野《じょうの》宏氏との出会いです。「なんだ、身体《からだ》中を病《や》んでいるときいたけど、手は動くじゃないか」と城野氏。「目は見えるのかい？」「耳はちゃんときこえるのかい？」……城野氏の質問がポンポン飛び出します。「心配ないよ。あなたの身体は九〇％正常じゃないか」。この言葉をきいた途端、彼女の頭に巣くっていた暗雲は引いていったのです。

「身体を病《や》んでいるといっても、手足も動く。目も見える。耳もきこえる。しゃべることもできる……。よく考えてみると、城野先生のおっしゃるとおりだ。ほんの一部だけが病んでいるにすぎないのだ」

彼女は「大発見」をしたのです。生きることをあきらめていた彼女の新しい人生が始まりました。すると、不思議なことがおこったのです。

壊死していた爪がはえてきたのです。髪もはえてきました。股関節の激痛も薄らいできました。つまり、長い間、彼女を蝕《むしば》んでいた難病が、その活動を停止したのです。

城野宏氏のご紹介が遅れましたが、氏は変わった経歴の持ち主です。

中国で十五年間もの長い間、政治犯として牢獄生活を体験。昭和三十九年、日本人最後の戦犯として帰国した人です。

明日はきっと銃殺されるに違いない、という絶体絶命の精神状態。しかも夏は摂氏四〇度以上。冬は零下三〇度という過酷な牢獄生活の中で城野氏がつかんだものがあります。

それは城野哲学といわれる「脳力開発」です。そのうちの一つが「部分と全体の見方」です。

とかく、私たちは「一部分」しか見ていないのに、それがあたかも「全体」であるかのような錯覚に陥ってしまうから気をつけろ、という教訓です。このことは、かとうみちこさんの病気の例で見事に実証されています。

「〝部分〟ではなく〝全体〟を見る」習慣が大切です。

◯「〝いまやるべき事〟は即座に着手する」習慣

小学校六年生のときにやらされた「漢字書き取りテスト」のことを、筆者はいまでもよく覚えています。ずっと昔のことなのですが、妙に頭にこびりついているのです。

それは、先生の指導のしかたに一つのコツがあったからだと思います。私たち生徒への〝心理的効果〟を狙っていたようです。

先生はいつも漢字テストのとき、「九〇点以下は失格。その者は一〇〇点がとれるまでずっと再試験を続ける」と私たちに宣言していました。

九〇点以上とるのは大変です。それなのに、九〇点以上とれなかったら一〇〇点とれるまで追試をすると脅かすのです。私たちの不安は高まります。

それくらいのことでドキドキしていたのですから、当時の子どもたちはずいぶん純情だったようです。いまになってわかったことなのですが、この不安状態のことを心理学では「テスト不安」と呼んでいます。先生は、私たちを「テスト不安」に追い込んだわけです。

「漢字テスト」そのものは、それほど難しいテストではありません。それだけに、「九〇点以下だとジゴクだぞ」と極端に厳しい条件をつきつけて、私たちの不安感を高めたのです。そうした「テスト不安」を感じさせた方が生徒たちがよく勉強するし成績があがる、と見込んだのでしょう。

勉強でも仕事でも、「これをやらないとひどい目に遭うぞ」くらいの不安状況に自分を追い込んでみる必要があると思います。どの程度の不安レベルにするかは、自分でコントロールすればいいわけです。いずれにしても、少し厳しくした方がいいと思います。

そして「やるべきこと」がハッキリしたら、その時点で即座にとりかかるクセをつけることが大切です。「即座にやる」というところがポイントです。

「あとでやる」「あしたやる」といっている人は、いつまでたってもやりません。「いまやれること」「今日できること」を後回しにしてしまうのは悪いクセです。

たとえば、あなたが上司から企画書の提出を求められたとします。今月中が提出期限です。このとき、「まだあと一ヵ月もある」と考えてはいけないのです。「一週間以内が締切り」というくらいの気持ちで自分を追い込むのです。そして、とりあえず着手してみます。集中的に行なってみるのです。

そうすると、他にどんな資料が必要なのか、まとめるのに何日くらいかかるのか、などの見当もつきます。こうすると、仕事がテキパキと片づいていきます。特に、慣れていない新しい仕事のときは、この「即座着手」が有効だと思います。

◯「一所懸命、仕事に打ち込む」習慣

「心ここに在らざれば、視れども見えず、聴けども聞こえず、食えども味を知らず」――と、孔子は説いています。気持ちをいま現在に集中させなければ何も見えないし、きこえないし、わからないものなのだ――という教訓です。

現代は世の中全体がハデな時代です。変化のスピードも速くなっています。そのせいか、何事も、じっくり納得いくまで取り組んでみようという人が減っています。要領よく、いい加減にすませてしまう人が少なくありません。

ところが、意外なことにこの「いい加減」にやったことがけっこううまくいく場合があります。いちどうまくいくと今度もまた、ちょこちょことやってすまそうとします。ところがどっこい、今度はそうやすやすとはうまくいかず、大失敗します。

ベテランのビジネスマンは、スピーディにしかも正確に仕事をこなします。これは、その人が熟練しているからです。その人が創造的に頭を働かせているからこそ、テキパキと仕事をこなしていけるわけです。

ところが、多くの若い人たちはこの点を誤解しているようです。「テキパキと処理」している先輩の仕事ぶりを「いい加減な、やっつけ仕事」だと考え違いしてしまうのです。こ

れは間違いです。大きな誤解をしています。

物事《ものごと》が実るためには、どうしても時間がかかります。春に花を咲かせた木は、秋にならないと実をつけません。一日も早く実らせようとして無理をすると、挫折します。インスタントなものは結局、自分のためにならないのです。

過日、筆者の知人のHさんから手紙がきました。彼はある上場企業の課長です。精神的にかなり落ち込んでいるようです。自分でもどうしてこうなったのかわからない。とにかく虚無感みたいなものがモヤモヤしている。「山にこもって修行しようと思う」などと本気で考えています。すっかり感傷的になっています。

こうしたビジネスマンの虚無感や疎外感は、たいていの場合、仕事への姿勢が原因しています。目先の毎日の仕事に追われ続けている人は、ある日、ふと立ち止まって自分を直視したとき、たまらない空しさを感じることがあります。「仕事はつまらないもの」という気持ちを潜在的に抱いている人が陥りやすい現象です。

仕事は自分の個性と人格を磨くためのものです。「仕事はつまらないもの」と思いながらやっていると、決して身のためにはなりません。「つまらない」などと思わず「一所懸命、仕事に打ち込む」習慣が大切です。

できる できる できる
私の願望は
かならず達成できる
私にはそれだけの
底ぢからがある
願望実現にむけて

しっかりと目標を設定し
具体的に行動することだ
うまくいくと信じきろう
具体的に行動すれば
かならず道は開けてくる

阿奈靖雄

この作品は、一九九五年十月に産能大学出版部より刊行された。

著者紹介
阿奈靖雄（あな　やすお）
1941年大阪府生まれ。産経新聞記者、大手広告代理店を経て現在(株)クリエイトＡＮＡ代表取締役。「プラス思考」講演家。全国津々浦々の講演会場を奔走。35年の講演キャリアがある。これまでの受講者数は30万人を超え、多くの人々に「プラス思考」を定着させている。アメリカで深層心理学を学び、深層心理カウンセラーとしても活躍。
著書に『きっとプラス思考になれる「ことばのクスリ箱」』『プラス思考を習慣づける52の法則』（以上、ＰＨＰ文庫）、『商品を売るな「信頼」を売れ』『あなたは絶対、うまくいく！』（以上、ＰＨＰ研究所）、『営業マンは「口《くち》ベタ」を武器にしなさい』『どんな相手も味方に変える50の方法』（以上、中経出版）など多数。

ＰＨＰ文庫　「プラス思考の習慣」で道は開ける

2002年５月15日　第１版第１刷
2010年３月９日　第１版第43刷

著　者　　阿　奈　靖　雄
発行者　　安　藤　卓
発行所　　株式会社PHP研究所
東京本部　〒102-8331　千代田区一番町21
文庫出版部　☎03-3239-6259
普及一部　☎03-3239-6233
京都本部　〒601-8411　京都市南区西九条北ノ内町11
PHP INTERFACE　http://www.php.co.jp/
制作協力
組　　版　　株式会社PHPエディターズ・グループ
印刷所
製本所　　凸版印刷株式会社

ISBN4-569-57737-7